# Cocina Saludable

## Sabor sin Sal

Marta Ramírez

# Indice

# Mix de gambas y piña

**Tiempo de preparación: 10 minutos**
**Tiempo de cocción: 10 minutos**
**Porciones: 4**

**Ingredientes:**

- 1 cucharada de aceite de oliva
- 1 libra de camarones, pelados y limpios
- 1 taza de piña, pelada y cortada en cubitos
- Jugo de 1 limón
- Un manojo de perejil picado

**Direcciones:**

1. Calienta una sartén con aceite a fuego medio, agrega los langostinos y cocina por 3 minutos por lado.
2. Agrega el resto de los ingredientes, cocina todo por otros 4 minutos, divide en tazones y sirve.

**Nutrición:**calorías 254, grasas 13,3, fibra 6, carbohidratos 14,9, proteínas 11

# Salmón y Aceitunas Verdes

**Tiempo de preparación: 10 minutos**
**Tiempo de cocción: 20 minutos**
**Porciones: 4**

**Ingredientes:**

- 1 cebolla amarilla, picada
- 1 taza de aceitunas verdes, deshuesadas y partidas por la mitad
- 1 cucharadita de chile en polvo
- Pimienta negra al gusto
- 2 cucharadas de aceite de oliva
- ¼ de taza de caldo de verduras bajo en sodio
- 4 filetes de salmón, sin piel y deshuesados
- 2 cucharadas de cebollino picado

**Direcciones:**

1. Calienta una sartén con aceite a fuego medio-alto, agrega la cebolla y sofríe por 3 minutos.
2. Agrega el salmón y cocina por 5 minutos por lado. Agrega el resto de los ingredientes, cocina por otros 5 minutos, divide en platos y sirve.

**Nutrición:**calorías 221, grasas 12,1, fibra 5,4, carbohidratos 8,5, proteínas 11,2

# Salmón e Hinojo

**Tiempo de preparación: 5 minutos**
**Tiempo de cocción: 15 minutos**
**Porciones: 4**

**Ingredientes:**

- 4 filetes de salmón medianos, sin piel y deshuesados
- 1 hinojo, picado
- ½ taza de caldo de verduras bajo en sodio
- 2 cucharadas de aceite de oliva
- Pimienta negra al gusto
- ¼ de taza de caldo de verduras bajo en sodio
- 1 cucharada de jugo de limón
- 1 cucharada de cilantro picado

**Direcciones:**

1. Calienta una sartén con aceite a fuego medio, agrega el hinojo y cocina por 3 minutos.
2. Agrega el pescado y dora durante 4 minutos por cada lado.
3. Agrega el resto de los ingredientes, cocina todo por otros 4 minutos, divide en platos y sirve.

**Nutrición:**calorías 252, grasas 9,3, fibra 4,2, carbohidratos 12,3, proteínas 9

# Bacalao y Espárragos

**Tiempo de preparación: 10 minutos**
**Tiempo de cocción: 14 minutos**
**Porciones: 4**

**Ingredientes:**

- 1 cucharada de aceite de oliva
- 1 cebolla morada, picada
- 1 libra de filetes de bacalao, deshuesados
- 1 manojo de espárragos, recortados
- Pimienta negra al gusto
- 1 taza de crema de coco
- 1 cucharada de cebollino picado

**Direcciones:**

1. Calienta una sartén con aceite a fuego medio, agrega la cebolla y el bacalao y cocina por 3 minutos por cada lado.
2. Agrega el resto de los ingredientes, cocina todo por otros 8 minutos, divide en platos y sirve.

**Nutrición:**calorías 254, grasas 12,1, fibra 5,4, carbohidratos 4,2, proteínas 13,5

# Camarón picante

**Tiempo de preparación: 5 minutos**
**Tiempo de cocción: 8 minutos**
**Porciones: 4**

**Ingredientes:**

- 1 cucharadita de ajo en polvo
- 1 cucharadita de pimentón ahumado
- 1 cucharadita de comino molido
- 1 cucharadita de pimienta de Jamaica, molida
- 2 cucharadas de aceite de oliva
- 2 libras de camarones, pelados y limpios
- 1 cucharada de cebollino picado

**Direcciones:**

1. Calienta una sartén con aceite a fuego medio, agrega los langostinos, el ajo en polvo y los demás ingredientes, cocina por 4 minutos por cada lado, divide en tazones y sirve.

**Nutrición:**calorías 212, grasas 9,6, fibra 5,3, carbohidratos 12,7, proteínas 15,4

# Lubina y tomates

**Tiempo de preparación: 10 minutos**
**Tiempo de cocción: 30 minutos**
**Porciones: 4**

**Ingredientes:**

- 2 cucharadas de aceite de oliva
- 2 libras de filetes de lubina, sin piel y sin espinas
- Pimienta negra al gusto
- 2 tazas de tomates cherry, cortados por la mitad
- 1 cucharada de cebollino picado
- 1 cucharada de ralladura de limón
- ¼ taza de jugo de limón

**Direcciones:**

1. Engrasa una bandeja para horno con aceite y coloca en ella el pescado.
2. Agrega los tomates y los demás ingredientes, coloca el molde en el horno y hornea a 380 grados durante 30 minutos.
3. Divida todo entre platos y sirva.

**Nutrición:**calorías 272, grasas 6,9, fibra 6,2, carbohidratos 18,4, proteínas 9

# Camarones y Frijoles

**Tiempo de preparación: 10 minutos**
**Tiempo de cocción: 12 minutos**
**Porciones: 4**

**Ingredientes:**

- 1 libra de camarones, pelados y sin cáscara
- 1 cucharada de aceite de oliva
- Zumo de 1 lima
- 1 taza de frijoles negros enlatados, sin sal agregada, escurridos
- 1 chalota, picada
- 1 cucharada de orégano, picado
- 2 dientes de ajo, picados
- Pimienta negra al gusto

**Direcciones:**

1. Calienta una sartén con aceite a fuego medio-alto, agrega las chalotas y el ajo, revuelve y cocina por 3 minutos.
2. Agrega los langostinos y cocina durante 2 minutos por lado.
3. Agrega los frijoles y los demás ingredientes, cocina todo a fuego medio por otros 5 minutos, divide en tazones y sirve.

**Nutrición:**calorías 253, grasas 11,6, fibra 6, carbohidratos 14,5, proteínas 13,5

# Mix de gambas y rábano picante

**Tiempo de preparación: 5 minutos**
**Tiempo de cocción: 8 minutos**
**Porciones: 4**

**Ingredientes:**

- 1 libra de camarones, pelados y limpios
- 2 chalotes, picados
- 1 cucharada de aceite de oliva
- 1 cucharada de cebollino picado
- 2 cucharaditas de rábano picante preparado
- ¼ taza de crema de coco
- Pimienta negra al gusto

**Direcciones:**

4 Calienta una sartén con aceite a fuego medio, agrega la chalota y el rábano picante, mezcla y fríe por 2 minutos.

5 Agrega los langostinos y el resto de ingredientes, mezcla, cocina por 6 minutos más, divide en platos y sirve.

**Nutrición:**calorías 233, grasas 6, fibra 5, carbohidratos 11,9, proteínas 5,4

# Ensalada de camarones y estragón

**Tiempo de preparación: 4 minutos**
**Tiempo de cocción: 0 minutos**
**Porciones: 4**

**Ingredientes:**

- 1 libra de camarones, cocidos, pelados y sin cáscara
- 1 cucharada de estragón picado
- 1 cucharada de alcaparras, escurridas
- 2 cucharadas de aceite de oliva
- Pimienta negra al gusto
- 2 tazas de espinacas tiernas
- 1 cucharada de vinagre balsámico
- 1 cebolla morada pequeña, cortada en rodajas
- 2 cucharadas de jugo de limón

**Direcciones:**

4 En un bol combinar las gambas con el estragón y el resto de ingredientes, mezclar y servir.

**Nutrición:**calorías 258, grasas 12,4, fibra 6, carbohidratos 6,7, proteínas 13,3

# Mezcla de bacalao con parmesano

**Tiempo de preparación: 10 minutos**
**Tiempo de cocción: 20 minutos**
**Porciones: 4**

**Ingredientes:**

- 4 filetes de bacalao, deshuesados
- ½ taza de parmesano bajo en grasa, rallado
- 3 dientes de ajo, picados
- 1 cucharada de aceite de oliva
- 1 cucharada de jugo de limón
- ½ taza de cebolla verde, picada

**Direcciones:**

1. Calienta una sartén con aceite a fuego medio, agrega el ajo y la cebolla de verdeo, revuelve y saltea por 5 minutos.
2. Agrega el pescado y cocina por 4 minutos por lado.
3. Agrega el jugo de limón, espolvorea con el parmesano, cocina todo por 2 minutos más, divide entre los platos y sirve.

**Nutrición:**calorías 275, grasas 22,1, fibra 5, carbohidratos 18,2, proteínas 12

# Mix de tilapia y cebolla morada

**Tiempo de preparación: 10 minutos**
**Tiempo de cocción: 15 minutos**
**Porciones: 4**

**Ingredientes:**

- 4 filetes de tilapia deshuesados
- 2 cucharadas de aceite de oliva
- 1 cucharada de jugo de limón
- 2 cucharaditas de ralladura de limón
- 2 cebollas moradas, picadas en trozos grandes
- 3 cucharadas de cebollino picado

**Direcciones:**

1. Calienta una sartén con aceite a fuego medio, agrega la cebolla, la ralladura de limón y el jugo de limón, mezcla y fríe por 5 minutos.
2. Agrega el pescado y el cebollino, cocina por 5 minutos por cada lado, divide en platos y sirve.

**Nutrición:**calorías 254, grasas 18,2, fibra 5,4, carbohidratos 11,7, proteínas 4,5

# ensalada de trucha

**Tiempo de preparación: 6 minutos**
**Tiempo de cocción: 0 minutos**
**Porciones: 4**

**Ingredientes:**

- 4 onzas de trucha ahumada, sin piel, deshuesada y en cubos
- 1 cucharada de jugo de lima
- 1/3 taza de yogur bajo en grasa
- 2 aguacates, pelados, sin hueso y cortados en cubos
- 3 cucharadas de cebollino picado
- Pimienta negra al gusto
- 1 cucharada de aceite de oliva

**Direcciones:**

1. En un bol combinar la trucha con los aguacates y los demás ingredientes, mezclar y servir.

**Nutrición:**calorías 244, grasas 9,45, fibra 5,6, carbohidratos 8,5, proteínas 15

# Trucha Balsámica

**Tiempo de preparación: 5 minutos**
**Tiempo de cocción: 15 minutos**
**Porciones: 4**

**Ingredientes:**

- 3 cucharadas de vinagre balsámico
- 2 cucharadas de aceite de oliva
- 4 filetes de trucha, deshuesados
- 3 cucharadas de perejil finamente picado
- 2 dientes de ajo, picados

**Direcciones:**

1. Calienta una sartén con aceite a fuego medio, agrega la trucha y cocina por 6 minutos por lado.
2. Agrega el resto de los ingredientes, cocina por otros 3 minutos, divide en platos y sirve con ensalada.

**Nutrición:**calorías 314, grasas 14,3, fibra 8,2, carbohidratos 14,8, proteínas 11,2

# Salmón Perejil

**Tiempo de preparación: 5 minutos**
**Tiempo de cocción: 12 minutos**
**Porciones: 4**

**Ingredientes:**

- 2 cebolletas, picadas
- 2 cucharaditas de jugo de lima
- 1 cucharada de cebollino, picado
- 1 cucharada de aceite de oliva
- 4 filetes de salmón deshuesados
- Pimienta negra al gusto
- 2 cucharadas de perejil picado

**Direcciones:**

1. Calienta una sartén con aceite a fuego medio, agrega las cebolletas, mezcla y fríe por 2 minutos.
2. Agrega el salmón y los demás ingredientes, cocina 5 minutos por cada lado, divide en platos y sirve.

**Nutrición:**calorías 290, grasas 14,4, fibra 5,6, carbohidratos 15,6, proteínas 9,5

# Ensalada de trucha y verduras

**Tiempo de preparación: 5 minutos**
**Tiempo de cocción: 0 minutos**
**Porciones: 4**

**Ingredientes:**

- 2 cucharadas de aceite de oliva
- ½ taza de aceitunas kalamata, deshuesadas y picadas
- Pimienta negra al gusto
- 1 libra de trucha ahumada, deshuesada, pelada y cortada en cubitos
- ½ cucharadita de ralladura de limón
- 1 cucharada de jugo de limón
- 1 taza de tomates cherry, cortados por la mitad
- ½ cebolla morada, rebanada
- 2 tazas de rúcula tierna

**Direcciones:**

1. En un bol combinar la trucha ahumada con las aceitunas, la pimienta negra y los demás ingredientes, mezclar y servir.

**Nutrición:**calorías 282, grasas 13,4, fibra 5,3, carbohidratos 11,6, proteínas 5,6

# salmón al azafrán

**Tiempo de preparación: 10 minutos**
**Tiempo de cocción: 12 minutos**
**Porciones: 4**

**Ingredientes:**

- Pimienta negra al gusto
- ½ cucharadita de pimentón dulce
- 4 filetes de salmón deshuesados
- 3 cucharadas de aceite de oliva
- 1 cebolla amarilla, picada
- 2 dientes de ajo, picados
- ¼ de cucharadita de azafrán en polvo

**Direcciones:**

1. Calienta una sartén con aceite a fuego medio-alto, agrega la cebolla y el ajo, mezcla y fríe por 2 minutos.
2. Agrega el salmón y los demás ingredientes, cocina 5 minutos por cada lado, divide en platos y sirve.

**Nutrición:**calorías 339, grasas 21,6, fibra 0,7, carbohidratos 3,2, proteínas 35

# Ensalada de camarones y sandía

**Tiempo de preparación: 10 minutos**
**Tiempo de cocción: 0 minutos**
**Porciones: 4**

**Ingredientes:**

- ¼ taza de albahaca picada
- 2 tazas de sandía, pelada y cortada en cubitos
- 2 cucharadas de vinagre balsámico
- 2 cucharadas de aceite de oliva
- 1 libra de camarones, pelados, limpios y cocidos
- Pimienta negra al gusto
- 1 cucharada de perejil picado

**Direcciones:**

1. En un bol combinar los langostinos con la sandía y el resto de ingredientes, mezclar y servir.

**Nutrición:**calorías 220, grasas 9, fibra 0,4, carbohidratos 7,6, proteínas 26,4

# Ensalada de camarones, orégano y quinua

**Tiempo de preparación: 5 minutos**
**Tiempo de cocción: 8 minutos**
**Porciones: 4**

**Ingredientes:**

- 1 libra de camarones, pelados y limpios
- 1 taza de quinua, cocida
- Pimienta negra al gusto
- 1 cucharada de aceite de oliva
- 1 cucharada de orégano, picado
- 1 cebolla morada, picada
- Jugo de 1 limón

**Direcciones:**

1. Calienta una sartén con aceite a fuego medio-alto, agrega la cebolla, mezcla y fríe por 2 minutos.
2. Agrega los langostinos, mezcla y cocina por 5 minutos.
3. Agrega el resto de los ingredientes, mezcla, divide todo en tazones y sirve.

**Nutrición:**calorías 336, grasas 8,2, fibra 4,1, carbohidratos 32,3, proteínas 32,3

# Ensalada de cangrejo

**Tiempo de preparación: 10 minutos**
**Tiempo de cocción: 0 minutos**
**Porciones: 4**

**Ingredientes:**

- 1 cucharada de aceite de oliva
- 2 tazas de carne de cangrejo
- Pimienta negra al gusto
- 1 taza de tomates cherry, cortados por la mitad
- 1 chalota, picada
- 1 cucharada de jugo de limón
- 1/3 taza de cilantro, picado

**Direcciones:**

1. En un bol, combine el cangrejo con los tomates y los demás ingredientes, mezcle y sirva.

**Nutrición:**calorías 54, grasas 3,9, fibra 0,6, carbohidratos 2,6, proteínas 2,3

# Vieiras Balsámicas

**Tiempo de preparación: 4 minutos**
**Tiempo de cocción: 6 minutos**
**Porciones: 4**

**Ingredientes:**

- 12 onzas de vieiras
- 2 cucharadas de aceite de oliva
- 2 dientes de ajo, picados
- 1 cucharada de vinagre balsámico
- 1 taza de chalotes, rebanados
- 2 cucharadas de cilantro picado

**Direcciones:**

1. Calienta una sartén con aceite a fuego medio, agrega la chalota y el ajo y sofríe por 2 minutos.
2. Agrega las vieiras y los demás ingredientes, cocínalas 2 minutos por cada lado, divide en platos y sirve.

**Nutrición:**calorías 146, grasas 7,7, fibra 0,7, carbohidratos 4,4, proteínas 14,8

# Mezcla cremosa de platija

**Tiempo de preparación: 10 minutos**
**Tiempo de cocción: 20 minutos**
**Porciones: 4**

**Ingredientes:**

- 2 cucharadas de aceite de oliva
- 1 cebolla morada, picada
- Pimienta negra al gusto
- ½ taza de caldo de verduras bajo en sodio
- 4 filetes de platija deshuesados
- ½ taza de crema de coco
- 1 cucharada de eneldo, picado

**Direcciones:**

1. Calienta una sartén con aceite a fuego medio, agrega la cebolla, mezcla y fríe por 5 minutos.
2. Agrega el pescado y cocina por 4 minutos por lado.
3. Agrega el resto de los ingredientes, cocina por otros 7 minutos, divide en platos y sirve.

**Nutrición:**calorías 232, grasas 12,3, fibra 4, carbohidratos 8,7, proteínas 12

# Mezcla picante de salmón y mango

**Tiempo de preparación: 5 minutos**
**Tiempo de cocción: 0 minutos**
**Porciones: 4**

**Ingredientes:**

- 1 libra de salmón ahumado, deshuesado, sin piel y desmenuzado
- Pimienta negra al gusto
- 1 cebolla morada, picada
- 1 mango, pelado, sin semillas y picado
- 2 chiles jalapeños, picados
- ¼ taza de perejil picado
- 3 cucharadas de jugo de lima
- 1 cucharada de aceite de oliva

**Direcciones:**

2. En un bol mezclar el salmón con la pimienta negra y los demás ingredientes, sofreír y servir.

**Nutrición:**calorías 323, grasas 14,2, fibra 4, carbohidratos 8,5, proteínas 20,4

# Mezcla de camarones al eneldo

**Tiempo de preparación: 5 minutos**
**Tiempo de cocción: 0 minutos**
**Porciones: 4**

**Ingredientes:**

- 2 cucharaditas de jugo de limón
- 1 cucharada de aceite de oliva
- 1 cucharada de eneldo, picado
- 1 libra de camarones, cocidos, pelados y sin cáscara
- Pimienta negra al gusto
- 1 taza de rábanos, cortados en cubitos

**Direcciones:**

1. En un bol combinar los langostinos con el jugo de limón y los demás ingredientes, mezclar y servir.

**Nutrición:**calorías 292, grasas 13, fibra 4,4, carbohidratos 8, proteínas 16,4

# Paté De Salmón

**Tiempo de preparación: 4 minutos**
**Tiempo de cocción: 0 minutos**
**Porciones: 6**

**Ingredientes:**

- 6 onzas de salmón ahumado, deshuesado, sin piel y picado
- 2 cucharadas de yogur bajo en grasa
- 3 cucharaditas de jugo de limón
- 2 cebolletas, picadas
- 8 onzas de queso crema bajo en grasa
- ¼ de taza de cilantro, picado

**Direcciones:**

1. En un bol mezclar el salmón con el yogur y los demás ingredientes, licuar y servir frío.

**Nutrición:**calorías 272, grasas 15,2, fibra 4,3, carbohidratos 16,8, proteínas 9,9

# Camarones con Alcachofas

**Tiempo de preparación: 4 minutos**
**Tiempo de cocción: 8 minutos**
**Porciones: 4**

**Ingredientes:**

- 2 cebollas verdes, picadas
- 1 taza de alcachofas enlatadas, sin sal agregada, escurridas y cortadas en cuartos
- 2 cucharadas de cilantro picado
- 1 libra de camarones, pelados y limpios
- 1 taza de tomates cherry, cortados en cubitos
- 1 cucharada de aceite de oliva
- 1 cucharada de vinagre balsámico
- Una pizca de sal y pimienta negra

**Direcciones:**

1. Calienta una sartén con aceite a fuego medio, agrega la cebolla y las alcachofas, mezcla y cocina por 2 minutos.
2. Agrega los langostinos, mezcla y cocina a fuego medio durante 6 minutos.
3. Dividir todo en tazones y servir.

**Nutrición:**calorías 260, grasas 8,23, fibra 3,8, carbohidratos 14,3, proteínas 12,4

# Camarones con salsa de limón

**Tiempo de preparación: 5 minutos**
**Tiempo de cocción: 8 minutos**
**Porciones: 4**

**Ingredientes:**

- 1 libra de camarones, pelados y limpios
- 2 cucharadas de aceite de oliva
- La ralladura de 1 limón
- Jugo de ½ limón
- 1 cucharada de cebollino picado

**Direcciones:**

1. Calienta una sartén con aceite a fuego medio-alto, agrega la ralladura de limón, el jugo de limón y el cilantro, revuelve y cocina por 2 minutos.
2. Agrega los langostinos, cocina todo por otros 6 minutos, divide en platos y sirve.

**Nutrición:**calorías 195, grasas 8,9, fibra 0, carbohidratos 1,8, proteínas 25,9

# Mezcla de atún y naranja

**Tiempo de preparación: 5 minutos**
**Tiempo de cocción: 12 minutos**
**Porciones: 4**

**Ingredientes:**

- 4 filetes de atún deshuesados
- Pimienta negra al gusto
- 2 cucharadas de aceite de oliva
- 2 chalotes, picados
- 3 cucharadas de jugo de naranja
- 1 naranja, pelada y cortada en gajos
- 1 cucharada de orégano, picado

**Direcciones:**

1. Calienta una sartén con aceite a fuego medio-alto, agrega las chalotas, mezcla y fríe por 2 minutos.
2. Agrega el atún y los demás ingredientes, cocina todo por otros 10 minutos, divide en los platos y sirve.

**Nutrición:**calorías 457, grasas 38,2, fibra 1,6, carbohidratos 8,2, proteínas 21,8

# curry de salmón

**Tiempo de preparación: 10 minutos**
**Tiempo de cocción: 20 minutos**
**Porciones: 4**

**Ingredientes:**

- 1 libra de filete de salmón, deshuesado y en cubos
- 3 cucharadas de pasta de curry rojo
- 1 cebolla morada, picada
- 1 cucharadita de pimentón dulce
- 1 taza de crema de coco
- 1 cucharada de aceite de oliva
- Pimienta negra al gusto
- ½ taza de caldo de pollo bajo en sodio
- 3 cucharadas de albahaca picada

**Direcciones:**

1. Calienta una sartén con aceite a fuego medio-alto, agrega la cebolla, el pimentón y la pasta de curry, revuelve y cocina por 5 minutos.
2. Agrega el salmón y los demás ingredientes, mezcla suavemente, cocina a fuego medio durante 15 minutos, divide en tazones y sirve.

**Nutrición:**calorías 377, grasas 28,3, fibra 2,1, carbohidratos 8,5, proteínas 23,9

# Mezcla De Salmón Y Zanahoria

**Tiempo de preparación: 10 minutos**
**Tiempo de cocción: 15 minutos**
**Porciones: 4**

**Ingredientes:**

- 4 filetes de salmón deshuesados
- 1 cebolla morada, picada
- 2 zanahorias, en rodajas
- 2 cucharadas de aceite de oliva
- 2 cucharadas de vinagre balsámico
- Pimienta negra al gusto
- 2 cucharadas de cebollino picado
- ¼ de taza de caldo de verduras bajo en sodio

**Direcciones:**

1. Calienta una sartén con aceite a fuego medio, agrega la cebolla y la zanahoria, mezcla y fríe por 5 minutos.
2. Agrega el salmón y los demás ingredientes, cocina todo por otros 10 minutos, divide en los platos y sirve.

**Nutrición:**calorías 322, grasas 18, fibra 1,4, carbohidratos 6, proteínas 35,2

# Mix de camarones y piñones

**Tiempo de preparación: 10 minutos**
**Tiempo de cocción: 10 minutos**
**Porciones: 4**

**Ingredientes:**

- 1 libra de camarones, pelados y limpios
- 2 cucharadas de piñones
- 1 cucharada de jugo de lima
- 2 cucharadas de aceite de oliva
- 3 dientes de ajo, picados
- Pimienta negra al gusto
- 1 cucharada de tomillo, picado
- 2 cucharadas de cebollino, finamente picado

**Direcciones:**

1. Calienta una sartén con aceite a fuego medio-alto, agrega el ajo, el tomillo, los piñones y el jugo de limón, revuelve y cocina por 3 minutos.
2. Agrega los langostinos, la pimienta negra y el cebollino, mezcla, cocina por 7 minutos más, divide en platos y sirve.

**Nutrición:**calorías 290, grasas 13, fibra 4,5, carbohidratos 13,9, proteínas 10

# Bacalao Con Chile Y Judías Verdes

**Tiempo de preparación: 10 minutos**
**Tiempo de cocción: 14 minutos**
**Porciones: 4**

**Ingredientes:**

- 4 filetes de bacalao, deshuesados
- ½ libra de judías verdes, peladas y cortadas por la mitad
- 1 cucharada de jugo de lima
- 1 cucharada de ralladura de lima, rallada
- 1 cebolla amarilla, picada
- 2 cucharadas de aceite de oliva
- 1 cucharadita de comino molido
- 1 cucharadita de chile en polvo
- ½ taza de caldo de verduras bajo en sodio
- Una pizca de sal y pimienta negra

**Direcciones:**

1. Calienta una sartén con aceite a fuego medio-alto, agrega la cebolla, revuelve y cocina por 2 minutos.
2. Agrega el pescado y cocina por 3 minutos por lado.
3. Agrega las judías verdes y el resto de los ingredientes, mezcla suavemente, cocina por 7 minutos más, divide en platos y sirve.

**Nutrición:**calorías 220, grasas 13, carbohidratos 14,3, fibra 2,3, proteínas 12

# Vieiras al ajillo

**Tiempo de preparación: 5 minutos**
**Tiempo de cocción: 8 minutos**
**Porciones: 4**

**Ingredientes:**

- 12 vieiras
- 1 cebolla morada, en rodajas
- 2 cucharadas de aceite de oliva
- ½ cucharadita de ajo picado
- 2 cucharadas de jugo de limón
- Pimienta negra al gusto
- 1 cucharadita de vinagre balsámico

**Direcciones:**

1. Calienta una sartén con aceite a fuego medio, agrega la cebolla y el ajo y sofríe por 2 minutos.
2. Agrega las vieiras y los demás ingredientes, cocina a fuego medio por otros 6 minutos, divide en platos y sirve caliente.

**Nutrición:**calorías 259, grasas 8, fibra 3, carbohidratos 5,7, proteínas 7

# Mezcla cremosa de lubina

**Tiempo de preparación: 10 minutos**
**Tiempo de cocción: 14 minutos**
**Porciones: 4**

**Ingredientes:**

- 4 filetes de lubina, deshuesados
- 1 taza de crema de coco
- 1 cebolla amarilla, picada
- 1 cucharada de jugo de lima
- 2 cucharadas de aceite de aguacate
- 1 cucharada de perejil picado
- Una pizca de pimienta negra

**Direcciones:**

1. Calienta una sartén con aceite a fuego medio, agrega la cebolla, mezcla y fríe por 2 minutos.
2. Agrega el pescado y cocina por 4 minutos por lado.
3. Agrega el resto de los ingredientes, cocina todo por otros 4 minutos, divide en platos y sirve.

**Nutrición:**calorías 283, grasas 12,3, fibra 5, carbohidratos 12,5, proteínas 8

# Mix de lubina y champiñones

**Tiempo de preparación: 10 minutos**
**Tiempo de cocción: 13 minutos**
**Porciones: 4**

**Ingredientes:**

- 4 filetes de lubina, deshuesados
- 2 cucharadas de aceite de oliva
- Pimienta negra al gusto
- ½ taza de champiñones blancos, rebanados
- 1 cebolla morada, picada
- 2 cucharadas de vinagre balsámico
- 3 cucharadas de cilantro picado

**Direcciones:**

1. Calienta una sartén con aceite a fuego medio-alto, agrega la cebolla y los champiñones, revuelve y cocina por 5 minutos.
2. Agrega el pescado y los demás ingredientes, cocina por 4 minutos por cada lado, divide todo entre los platos y sirve.

**Nutrición:**calorías 280, grasas 12,3, fibra 8, carbohidratos 13,6, proteínas 14,3

# Sopa De Salmón

**Tiempo de preparación: 5 minutos**
**Tiempo de cocción: 20 minutos**
**Porciones: 4**

**Ingredientes:**

- 1 libra de filetes de salmón, deshuesados, sin piel y cortados en cubitos
- 1 taza de cebolla amarilla, picada
- 2 cucharadas de aceite de oliva
- Pimienta negra al gusto
- 2 tazas de caldo de verduras bajo en sodio
- 1 ½ tazas de tomates, picados
- 1 cucharada de albahaca picada

**Direcciones:**

1. Calienta una sartén con aceite a fuego medio, agrega la cebolla, mezcla y fríe por 5 minutos.
2. Agrega el salmón y los demás ingredientes, lleva a ebullición y cocina a fuego medio durante 15 minutos.
3. Divida la sopa en tazones y sirva.

**Nutrición:**calorías 250, grasas 12,2, fibra 5, carbohidratos 8,5, proteínas 7

# Camarones con nuez moscada

**Tiempo de preparación: 3 minutos**
**Tiempo de cocción: 6 minutos**
**Porciones: 4**

**Ingredientes:**

- 1 libra de camarones, pelados y limpios
- 2 cucharadas de aceite de oliva
- 1 cucharada de jugo de limón
- 1 cucharada de nuez moscada, molida
- Pimienta negra al gusto
- 1 cucharada de cilantro picado

**Direcciones:**

1. Calienta una sartén con aceite a fuego medio, agrega los langostinos, el jugo de limón y los demás ingredientes, mezcla, cocina por 6 minutos, divide en tazones y sirve.

**Nutrición:**calorías 205, grasas 9,6, fibra 0,4, carbohidratos 2,7, proteínas 26

# Mix de gambas y frutos rojos

**Tiempo de preparación: 4 minutos**
**Tiempo de cocción: 6 minutos**
**Porciones: 4**

**Ingredientes:**

- 1 libra de camarones, pelados y limpios
- ½ taza de tomates, cortados en cubitos
- 2 cucharadas de aceite de oliva
- 1 cucharada de vinagre balsámico
- ½ taza de fresas, picadas
- Pimienta negra al gusto

**Direcciones:**

1. Calienta una sartén con aceite a fuego medio, agrega los langostinos, mezcla y cocina por 3 minutos.
2. Agrega el resto de los ingredientes, mezcla, cocina por otros 3-4 minutos, divide en tazones y sirve.

**Nutrición:**calorías 205, grasas 9, fibra 0,6, carbohidratos 4, proteínas 26,2

# Trucha Al Limón Al Horno

**Tiempo de preparación: 10 minutos**
**Tiempo de cocción: 30 minutos**
**Porciones: 4**

**Ingredientes:**

- 4 truchas
- 1 cucharada de ralladura de limón
- 2 cucharadas de aceite de oliva
- 2 cucharadas de jugo de limón
- Una pizca de pimienta negra
- 2 cucharadas de cilantro picado

**Direcciones:**

1. En una fuente para horno, combine el pescado con la ralladura de limón y los demás ingredientes y frote.
2. Hornee a 370 grados durante 30 minutos, divida en platos y sirva.

**Nutrición:**calorías 264, grasas 12,3, fibra 5, carbohidratos 7, proteínas 11

# Vieiras con cebollino

**Tiempo de preparación: 3 minutos**
**Tiempo de cocción: 4 minutos**
**Porciones: 4**

**Ingredientes:**

- 12 vieiras
- 2 cucharadas de aceite de oliva
- Pimienta negra al gusto
- 2 cucharadas de cebollino picado
- 1 cucharada de pimentón dulce

**Direcciones:**

1. Calienta una sartén con aceite a fuego medio, agrega las vieiras, el pimentón y los demás ingredientes y cocina por 2 minutos por lado.
2. Divida en platos y sirva con una ensalada.

**Nutrición:**calorías 215, grasas 6, fibra 5, carbohidratos 4,5, proteínas 11

# Albóndigas De Atún

**Tiempo de preparación: 10 minutos**
**Tiempo de cocción: 30 minutos**
**Porciones: 4**

**Ingredientes:**

- 2 cucharadas de aceite de oliva
- 1 libra de atún, sin piel, deshuesado y picado
- 1 cebolla amarilla, picada
- ¼ de taza de cebollino picado
- 1 huevo batido
- 1 cucharada de harina de coco
- Una pizca de sal y pimienta negra

**Direcciones:**

1. En un bol mezcla el atún con la cebolla y los demás ingredientes excepto el aceite, mezcla bien y forma albóndigas medianas con esta mezcla.
2. Coloque las albóndigas en una bandeja para hornear, unte con aceite, colóquelas en el horno a 350 grados, cocine por 30 minutos, divídalas en platos y sirva.

**Nutrición:**calorías 291, grasas 14,3, fibra 5, carbohidratos 12,4, proteínas 11

# Sartén De Salmón

**Tiempo de preparación: 10 minutos**
**Tiempo de cocción: 12 minutos**
**Porciones: 4**

**Ingredientes:**

- 4 filetes de salmón, deshuesados y cortados en cubitos
- 2 cucharadas de aceite de oliva
- 1 pimiento rojo, cortado en tiras
- 1 calabacín, picado en cubos
- 1 berenjena, picada en cubos
- 1 cucharada de jugo de limón
- 1 cucharada de eneldo, picado
- ¼ de taza de caldo de verduras bajo en sodio
- 1 cucharadita de ajo en polvo
- Una pizca de pimienta negra

**Direcciones:**

1. Calentar una sartén con aceite a fuego medio-alto, añadir el pimiento, los calabacines y las berenjenas, mezclar y sofreír durante 3 minutos.
2. Agrega el salmón y los demás ingredientes, mezcla suavemente, cocina todo por otros 9 minutos, divide en los platos y sirve.

**Nutrición:**calorías 348, grasas 18,4, fibra 5,3, carbohidratos 11,9, proteínas 36,9

# Mezcla de bacalao con mostaza

**Tiempo de preparación: 10 minutos**
**Tiempo de cocción: 25 minutos**
**Porciones: 4**

**Ingredientes:**

- 4 filetes de bacalao, sin piel y deshuesados
- Una pizca de pimienta negra
- 1 cucharadita de jengibre rallado
- 1 cucharada de mostaza
- 2 cucharadas de aceite de oliva
- 1 cucharadita de tomillo, seco
- ¼ cucharadita de comino molido
- 1 cucharadita de cúrcuma en polvo
- ¼ de taza de cilantro, picado
- 1 taza de caldo de verduras bajo en sodio
- 3 dientes de ajo, picados

**Direcciones:**

1. En una fuente para horno, combine el bacalao con la pimienta negra, el jengibre y otros ingredientes, mezcle suavemente y hornee a 380 grados durante 25 minutos.
2. Divida la mezcla en platos y sirva.

**Nutrición:**calorías 176, grasa 9, fibra 1, carbohidratos 3,7, proteínas 21,2

# Mezcla de gambas y espárragos

**Tiempo de preparación: 10 minutos**
**Tiempo de cocción: 14 minutos**
**Porciones: 4**

**Ingredientes:**

- 1 manojo de espárragos, cortados por la mitad
- 1 libra de camarones, pelados y limpios
- Pimienta negra al gusto
- 2 cucharadas de aceite de oliva
- 1 cebolla morada, picada
- 2 dientes de ajo, picados
- 1 taza de crema de coco

**Direcciones:**

1. Calienta una sartén con aceite a fuego medio, agrega la cebolla, el ajo y los espárragos, mezcla y cocina por 4 minutos.
2. Agrega los langostinos y los demás ingredientes, mezcla, cocina a fuego medio durante 10 minutos, divide todo en tazones y sirve.

**Nutrición:**calorías 225, grasas 6, fibra 3,4, carbohidratos 8,6, proteínas 8

# Bacalao y Guisantes

**Tiempo de preparación: 10 minutos**
**Tiempo de cocción: 20 minutos**
**Porciones: 4**

**Ingredientes:**

- 1 cebolla amarilla, picada
- 2 cucharadas de aceite de oliva
- ½ taza de caldo de pollo bajo en sodio
- 4 filetes de bacalao, deshuesados y sin piel
- Pimienta negra al gusto
- 1 taza de guisantes

**Direcciones:**

1. Calienta una sartén con aceite a fuego medio, agrega la cebolla, mezcla y fríe por 4 minutos.
2. Agrega el pescado y cocina por 3 minutos por lado.
3. Agrega los guisantes y los demás ingredientes, cocina todo por otros 10 minutos, divide en los platos y sirve.

**Nutrición:**calorías 240, grasas 8,4, fibra 2,7, carbohidratos 7,6, proteínas 14

# Tazones de camarones y mejillones

**Tiempo de preparación: 5 minutos**
**Tiempo de cocción: 12 minutos**
**Porciones: 4**

**Ingredientes:**

- 1 libra de mejillones, frotados
- ½ taza de caldo de pollo bajo en sodio
- 1 libra de camarones, pelados y limpios
- 2 chalotes, picados
- 1 taza de tomates cherry, cortados en cubitos
- 2 dientes de ajo, picados
- 1 cucharada de aceite de oliva
- Jugo de 1 limón

**Direcciones:**

1. Calienta una sartén con aceite a fuego medio, agrega la chalota y el ajo y sofríe por 2 minutos.
2. Agrega los langostinos, los mejillones y el resto de ingredientes, cocina todo a fuego medio durante 10 minutos, divide en tazones y sirve.

**Nutrición:**calorías 240, grasas 4,9, fibra 2,4, carbohidratos 11,6, proteínas 8

# Crema De Menta

**Tiempo de preparación:**2 horas y 4 minutos

**Tiempo de cocción: 0 minutos**
**Porciones: 4**

**Ingredientes:**

- 4 tazas de yogur bajo en grasa
- 1 taza de crema de coco
- 3 cucharadas de stevia
- 2 cucharaditas de ralladura de lima
- 1 cucharada de menta, picada

**Direcciones:**

1. En una licuadora combinar la nata con el yogur y los demás ingredientes, licuar bien, dividir en tazas y reservar en el frigorífico 2 horas antes de servir.

**Nutrición:**calorías 512, grasas 14,3, fibra 1,5, carbohidratos 83,6, proteínas 12,1

# Pudín de frambuesa

**Tiempo de preparación: 10 minutos**
**Tiempo de cocción: 24 minutos**
**Porciones: 4**

**Ingredientes:**

- 1 taza de frambuesas
- 2 cucharaditas de azúcar de coco
- 3 huevos batidos
- 1 cucharada de aceite de aguacate
- ½ taza de leche de almendras
- ½ taza de harina de coco
- ¼ de taza de yogur bajo en grasa

**Direcciones:**

1. En un tazón, combine las frambuesas con el azúcar y el resto de los ingredientes excepto el aceite en aerosol y mezcle bien.
2. Engrase un molde para pudín con aceite en aerosol, agregue la mezcla de frambuesa, extienda, hornee a 400°F durante 24 minutos, divida entre platos de postre y sirva.

**Nutrición:**calorías 215, grasas 11,3, fibra 3,4, carbohidratos 21,3, proteínas 6,7

# barras de almendras

**Tiempo de preparación: 10 minutos**
**Tiempo de cocción: 30 minutos**
**Porciones: 4**

**Ingredientes:**

- 1 taza de almendras, trituradas
- 2 huevos batidos
- ½ taza de leche de almendras
- 1 cucharadita de extracto de vainilla
- 2/3 taza de azúcar de coco
- 2 tazas de harina integral
- 1 cucharadita de polvo para hornear
- Spray para cocinar

**Direcciones:**

1. En un bol, combine las almendras con los huevos y el resto de los ingredientes excepto el aceite en aerosol y mezcle bien.
2. Vierte todo en un molde cuadrado untado con aceite en aerosol, esparce bien, hornea por 30 minutos, deja enfriar, corta en barras y sirve.

**Nutrición:**calorías 463, grasas 22,5, fibra 11, carbohidratos 54,4, proteínas 16,9

# Mezcla de durazno al horno

**Tiempo de preparación: 10 minutos**
**Tiempo de cocción: 30 minutos**
**Porciones: 4**

**Ingredientes:**

- 4 duraznos, sin hueso y cortados por la mitad
- 1 cucharada de azúcar de coco
- 1 cucharadita de extracto de vainilla
- ¼ cucharadita de canela molida
- 1 cucharada de aceite de aguacate

**Direcciones:**

1. En una fuente para horno, combine los duraznos con el azúcar y otros ingredientes, hornee a 375 grados durante 30 minutos, enfríe y sirva.

**Nutrición:**calorías 91, grasas 0,8, fibra 2,5, carbohidratos 19,2, proteínas 1,7

# pastel de nueces

**Tiempo de preparación: 10 minutos**
**Tiempo de cocción: 25 minutos**
**Porciones: 8**

**Ingredientes:**

- 3 tazas de harina de almendras
- 1 taza de azúcar de coco
- 1 cucharada de extracto de vainilla
- ½ taza de nueces picadas
- 2 cucharaditas de bicarbonato de sodio
- 2 tazas de leche de coco
- ½ taza de aceite de coco, derretido

**Direcciones:**

1. En un bol combinar la harina de almendras con el azúcar y los demás ingredientes, mezclar bien, verter en un molde para pastel, esparcir, llevar al horno a 37°C, hornear por 25 minutos.
2. Deja enfriar el bizcocho, córtalo y sirve.

**Nutrición:**calorías 445, grasa 10, fibra 6,5, carbohidratos 31,4, proteínas 23,5

# Tarta de manzana

**Tiempo de preparación: 10 minutos**
**Tiempo de cocción: 30 minutos**
**Porciones: 4**

**Ingredientes:**

- 2 tazas de harina de almendras
- 1 cucharadita de bicarbonato de sodio
- 1 cucharadita de polvo para hornear
- ½ cucharadita de canela molida
- 2 cucharadas de azúcar de coco
- 1 taza de leche de almendras
- 2 manzanas verdes, sin corazón, peladas y picadas
- Spray para cocinar

**Direcciones:**

1. En un tazón, combine la harina con el bicarbonato de sodio, las manzanas y el resto de los ingredientes excepto el aceite en aerosol y bata bien.
2. Vierte todo en un molde para pasteles untado con aceite en aerosol, esparce bien, coloca en el horno y hornea a 360 grados durante 30 minutos.
3. Enfriar el bizcocho, cortarlo en rodajas y servir.

**Nutrición:**calorías 332, grasas 22,4, fibra 9l,6, carbohidratos 22,2, proteínas 12,3

# crema de canela

**Tiempo de preparación: 2 horas**
**Tiempo de cocción: 10 minutos**
**Porciones: 4**

**Ingredientes:**

- 1 taza de leche de almendras baja en grasa
- 1 taza de crema de coco
- 2 tazas de azúcar de coco
- 2 cucharadas de canela molida
- 1 cucharadita de extracto de vainilla

**Direcciones:**

1. Calienta una sartén con leche de almendras a fuego medio, agrega el resto de los ingredientes, licúa y cocina por 10 minutos más.
2. Dividir la mezcla en tazones, dejar enfriar y reservar en el frigorífico durante 2 horas antes de servir.

**Nutrición:**calorías 254, grasas 7,5, fibra 5, carbohidratos 16,4, proteínas 9,5

# Mezcla cremosa de fresas

**Tiempo de preparación: 10 minutos**
**Tiempo de cocción: 0 minutos**
**Porciones: 4**

**Ingredientes:**

- 1 cucharadita de extracto de vainilla
- 2 tazas de fresas, picadas
- 1 cucharadita de azúcar de coco
- 8 onzas de yogur bajo en grasa

**Direcciones:**

1. En un bol combinar las fresas con la vainilla y los demás ingredientes, mezclar y servir frío.

**Nutrición:**calorías 343, grasas 13,4, fibra 6, carbohidratos 15,43, proteínas 5,5

# Brownies de vainilla y nueces

**Tiempo de preparación: 10 minutos**
**Tiempo de cocción: 25 minutos**
**Porciones: 8**

**Ingredientes:**

- 1 taza de nueces, picadas
- 3 cucharadas de azúcar de coco
- 2 cucharadas de cacao en polvo
- 3 huevos batidos
- ¼ de taza de aceite de coco, derretido
- ½ cucharadita de polvo para hornear
- 2 cucharaditas de extracto de vainilla
- Spray para cocinar

**Direcciones:**

1. En su procesador de alimentos, combine las nueces con el azúcar de coco y los ingredientes restantes, excepto el aceite en aerosol, y mezcle bien.
2. Engrasa un molde cuadrado con aceite en aerosol, agrega la mezcla de brownie, unta, coloca en el horno, hornea a 350 grados por 25 minutos, deja enfriar, corta en rodajas y sirve.

**Nutrición:**calorías 370, grasas 14,3, fibra 3, carbohidratos 14,4, proteínas 5,6

# pastel de fresa

**Tiempo de preparación: 10 minutos**
**Tiempo de cocción: 25 minutos**
**Porciones: 6**

**Ingredientes:**

- 2 tazas de harina integral
- 1 taza de fresas, picadas
- ½ cucharadita de bicarbonato de sodio
- ½ taza de azúcar de coco
- ¾ taza de leche de coco
- ¼ de taza de aceite de coco, derretido
- 2 huevos batidos
- 1 cucharadita de extracto de vainilla
- Spray para cocinar

**Direcciones:**

1. En un tazón, combine la harina con las fresas y el resto de los ingredientes excepto el aceite en aerosol y mezcle bien.
2. Engrase un molde para pastel con aceite en aerosol, vierta la mezcla para pastel, extienda, hornee a 350 grados durante 25 minutos, enfríe, corte en rodajas y sirva.

**Nutrición:**calorías 465, grasas 22,1, fibra 4, carbohidratos 18,3, proteínas 13,4

# Pudín de cacao

**Tiempo de preparación: 10 minutos**
**Tiempo de cocción: 10 minutos**
**Porciones: 4**

**Ingredientes:**

- 2 cucharadas de azúcar de coco
- 3 cucharadas de harina de coco
- 2 cucharadas de cacao en polvo
- 2 tazas de leche de almendras
- 2 huevos batidos
- ½ cucharadita de extracto de vainilla

**Direcciones:**

1. Coloca la leche en una cacerola, agrega el cacao y los demás ingredientes, licúa, cocina a fuego medio por 10 minutos, vierte en tazas y sirve frío.

**Nutrición:**calorías 385, grasas 31,7, fibra 5,7, carbohidratos 21,6, proteínas 7,3

# Crema de vainilla y nuez moscada

**Tiempo de preparación: 10 minutos**
**Tiempo de cocción: 0 minutos**
**Porciones: 6**

**Ingredientes:**

- 3 tazas de leche desnatada
- 1 cucharadita de nuez moscada, molida
- 2 cucharaditas de extracto de vainilla
- 4 cucharaditas de azúcar de coco
- 1 taza de nueces, picadas

**Direcciones:**

1. En un bol combinar la leche con la nuez moscada y los demás ingredientes, mezclar bien, dividir en tazas y servir frío.

**Nutrición:**calorías 243, grasas 12,4, fibra 1,5, carbohidratos 21,1, proteínas 9,7

# crema de aguacate

**Tiempo de preparación:**1 hora y 10 minutos

**Tiempo de cocción: 0 minutos**
**Porciones: 4**

**Ingredientes:**

- 2 tazas de crema de coco
- 2 aguacates, pelados, sin hueso y triturados
- 2 cucharadas de azúcar de coco
- 1 cucharadita de extracto de vainilla

**Direcciones:**

1. En una licuadora, combine la crema con los aguacates y los demás ingredientes, licue bien, divida en tazas y reserve en el refrigerador por 1 hora antes de servir.

**Nutrición:**calorías 532, grasas 48,2, fibra 9,4, carbohidratos 24,9, proteínas 5,2

# Crema De Frambuesa

**Tiempo de preparación: 10 minutos**
**Tiempo de cocción: 25 minutos**
**Porciones: 4**

**Ingredientes:**

- 2 cucharadas de harina de almendras
- 1 taza de crema de coco
- 3 tazas de frambuesas
- 1 taza de azúcar de coco
- 8 onzas de queso crema bajo en grasa

**Direcciones:**

1. Colocar la harina con la nata y los demás ingredientes en un bol, licuar, transferir a un recipiente redondo, cocinar a 360 grados durante 25 minutos, dividir en boles y servir.

**Nutrición:**calorías 429, grasas 36,3, fibra 7,7, carbohidratos 21,3, proteínas 7,8

# Ensalada de sandía

**Tiempo de preparación: 4 minutos**
**Tiempo de cocción: 0 minutos**
**Porciones: 4**

**Ingredientes:**

- 1 taza de sandía, pelada y cortada en cubos
- 2 manzanas, sin corazón y cortadas en cubos
- 1 cucharada de crema de coco
- 2 plátanos, cortados en trozos

**Direcciones:**

1. En un bol combinar la sandía con las manzanas y los demás ingredientes, mezclar y servir.

**Nutrición:**calorías 131, grasas 1,3, fibra 4,5, carbohidratos 31,9, proteínas 1,3

# Mezcla de coco y pera

**Tiempo de preparación: 10 minutos**
**Tiempo de cocción: 10 minutos**
**Porciones: 4**

**Ingredientes:**

- 2 cucharaditas de jugo de lima
- ½ taza de crema de coco
- ½ taza de coco rallado
- 4 peras, sin corazón y cortadas en cubos
- 4 cucharadas de azúcar de coco

**Direcciones:**

1. En una sartén combinar las peras con el jugo de limón y los demás ingredientes, mezclar, llevar a ebullición a fuego medio y cocinar por 10 minutos.
2. Dividir en tazones y servir frío.

**Nutrición:**calorías 320, grasas 7,8, fibra 3, carbohidratos 6,4, proteínas 4,7

# compota de manzana

**Tiempo de preparación: 10 minutos**
**Tiempo de cocción: 15 minutos**
**Porciones: 4**

**Ingredientes:**

- 5 cucharadas de azúcar de coco
- 2 tazas de jugo de naranja
- 4 manzanas, sin corazón y cortadas en cubos

**Direcciones:**

1. En una cacerola combinar las manzanas con el azúcar y el jugo de naranja, mezclar, llevar a ebullición a fuego medio, cocinar por 15 minutos, dividir en tazones y servir frío.

**Nutrición:**calorías 220, grasas 5,2, fibra 3, carbohidratos 5,6, proteínas 5,6

# guiso de albaricoque

**Tiempo de preparación: 10 minutos**
**Tiempo de cocción: 15 minutos**
**Porciones: 4**

**Ingredientes:**

- 2 tazas de albaricoques, cortados por la mitad
- 2 tazas de agua
- 2 cucharadas de azúcar de coco
- 2 cucharadas de jugo de limón

**Direcciones:**

1. En una sartén combine los albaricoques con el agua y los demás ingredientes, mezcle, cocine a fuego medio por 15 minutos, divida en tazones y sirva.

**Nutrición:**calorías 260, grasas 6,2, fibra 4,2, carbohidratos 5,6, proteínas 6

# Mezcla de melón y limón

**Tiempo de preparación: 10 minutos**
**Tiempo de cocción: 10 minutos**
**Porciones: 4**

**Ingredientes:**

- 2 tazas de melón, pelado y cortado en cubitos
- 4 cucharadas de azúcar de coco
- 2 cucharaditas de extracto de vainilla
- 2 cucharaditas de jugo de limón

**Direcciones:**

1. En una cacerola combinar el melón con el azúcar y los demás ingredientes, mezclar, calentar a fuego medio, cocinar por unos 10 minutos, dividir en tazones y servir frío.

**Nutrición:**calorías 140, grasas 4, fibra 3,4, carbohidratos 6,7, proteínas 5

# Crema cremosa de ruibarbo

**Tiempo de preparación: 10 minutos**
**Tiempo de cocción: 14 minutos**
**Porciones: 4**

**Ingredientes:**

- 1/3 taza de queso crema bajo en grasa
- ½ taza de crema de coco
- 2 libras de ruibarbo, picado en trozos grandes
- 3 cucharadas de azúcar de coco

**Direcciones:**

1. En una licuadora, combine el queso crema con la crema y los demás ingredientes y mezcle bien.
2. Dividir en tazas, colocar en el horno y hornear a 350 grados durante 14 minutos.
3. Servir frío.

**Nutrición:**calorías 360, grasas 14,3, fibra 4,4, carbohidratos 5,8, proteínas 5,2

# tazones de piña

**Tiempo de preparación: 10 minutos**
**Tiempo de cocción: 0 minutos**
**Porciones: 4**

**Ingredientes:**

- 3 tazas de piña, pelada y cortada en cubos
- 1 cucharadita de semillas de chía
- 1 taza de crema de coco
- 1 cucharadita de extracto de vainilla
- 1 cucharada de menta, picada

**Direcciones:**

1. En un bol combinar la piña con la nata y los demás ingredientes, mezclar, dividir en tazones más pequeños y reservar en el frigorífico 10 minutos antes de servir.

**Nutrición:**calorías 238, grasas 16,6, fibra 5,6, carbohidratos 22,8, proteínas 3,3

# Guiso de arándanos

**Tiempo de preparación: 10 minutos**
**Tiempo de cocción: 10 minutos**
**Porciones: 4**

**Ingredientes:**

- 2 cucharadas de jugo de limón
- 1 taza de agua
- 3 cucharadas de azúcar de coco
- 12 onzas de arándanos

**Direcciones:**

1. En una sartén, combine los arándanos con el azúcar y otros ingredientes, lleve a fuego lento y cocine a fuego medio durante 10 minutos.
2. Dividir en tazones y servir.

**Nutrición:**calorías 122, grasas 0,4, fibra 2,1, carbohidratos 26,7, proteínas 1,5

# pudín de lima

**Tiempo de preparación: 10 minutos**
**Tiempo de cocción: 15 minutos**
**Porciones: 4**

**Ingredientes:**

- 2 tazas de crema de coco
- Zumo de 1 lima
- La ralladura de 1 lima, rallada
- 3 cucharadas de aceite de coco, derretido
- 1 huevo batido
- 1 cucharadita de polvo para hornear

**Direcciones:**

1. En un bol, combine la nata con el jugo de lima y los demás ingredientes y mezcle bien.
2. Dividir en moldes pequeños, meter al horno y hornear a 360 grados durante 15 minutos.
3. Servir el pudín frío.

**Nutrición:**calorías 385, grasas 39,9, fibra 2,7, carbohidratos 8,2, proteínas 4,2

# crema de durazno

**Tiempo de preparación: 10 minutos**
**Tiempo de cocción: 0 minutos**
**Porciones: 4**

**Ingredientes:**

- 3 tazas de crema de coco
- 2 duraznos, sin hueso y picados
- 1 cucharadita de extracto de vainilla
- ½ taza de almendras picadas

**Direcciones:**

1. En una licuadora, combine la crema y los demás ingredientes, mezcle bien, divida en tazones pequeños y sirva frío.

**Nutrición:**calorías 261, grasas 13, fibra 5,6, carbohidratos 7, proteínas 5,4

# Mezcla de ciruela y canela

**Tiempo de preparación: 10 minutos**
**Tiempo de cocción: 15 minutos**
**Porciones: 4**

**Ingredientes:**

- 1 libra de ciruelas, sin hueso y partidas por la mitad
- 2 cucharadas de azúcar de coco
- ½ cucharadita de canela molida
- 1 taza de agua

**Direcciones:**

1. En una sartén combinar las ciruelas con el azúcar y los demás ingredientes, llevar a ebullición y cocinar a fuego medio durante 15 minutos.
2. Dividir en tazones y servir frío.

**Nutrición:**calorías 142, grasa 4, fibra 2,4, carbohidratos 14, proteínas 7

# Chía y Manzana Vainilla

**Tiempo de preparación: 10 minutos**
**Tiempo de cocción: 10 minutos**
**Porciones: 4**

**Ingredientes:**

- 2 tazas de manzanas, sin corazón y cortadas en gajos
- 2 cucharadas de semillas de chía
- 1 cucharadita de extracto de vainilla
- 2 tazas de jugo de manzana naturalmente sin azúcar

**Direcciones:**

1. En una cacerola combina las manzanas con las semillas de chía y los demás ingredientes, mezcla, cocina a fuego medio por 10 minutos, divide en tazones y sirve frío.

**Nutrición:**calorías 172, grasas 5,6, fibra 3,5, carbohidratos 10, proteínas 4,4

# Budín de arroz y pera

**Tiempo de preparación: 10 minutos**
**Tiempo de cocción: 25 minutos**
**Porciones: 4**

**Ingredientes:**

- 6 tazas de agua
- 1 taza de azúcar de coco
- 2 tazas de arroz negro
- 2 peras, sin corazón y cortadas en cubos
- 2 cucharaditas de canela molida

**Direcciones:**

1. Coloca el agua en una cacerola, caliéntala a fuego medio-alto, agrega el arroz, el azúcar y los demás ingredientes, mezcla, lleva a ebullición, reduce el fuego y cocina por 25 minutos.
2. Dividir en tazones y servir frío.

**Nutrición:**calorías 290, grasas 13,4, fibra 4, carbohidratos 13,20, proteínas 6,7

# guiso de ruibarbo

**Tiempo de preparación: 10 minutos**
**Tiempo de cocción: 15 minutos**
**Porciones: 4**

**Ingredientes:**

- 2 tazas de ruibarbo, picado en trozos grandes
- 3 cucharadas de azúcar de coco
- 1 cucharadita de extracto de almendras
- 2 tazas de agua

**Direcciones:**

1. En una cacerola combinar el ruibarbo con los demás ingredientes, mezclar, llevar a ebullición a fuego medio, cocinar por 15 minutos, dividir en tazones y servir frío.

**Nutrición:**calorías 142, grasas 4.1, fibra 4.2, carbohidratos 7, proteínas 4

# crema de ruibarbo

**Tiempo de preparación: 1 hora**
**Tiempo de cocción: 10 minutos**
**Porciones: 4**

**Ingredientes:**

- 2 tazas de crema de coco
- 1 taza de ruibarbo, picado
- 3 huevos batidos
- 3 cucharadas de azúcar de coco
- 1 cucharada de jugo de lima

**Direcciones:**

1. En un cazo combinar la nata con el ruibarbo y los demás ingredientes, batir bien, cocinar a fuego medio durante 10 minutos, licuar con una batidora de mano, dividir en tazones y reservar en el frigorífico 1 hora antes de servir.

**Nutrición:**calorías 230, grasas 8,4, fibra 2,4, carbohidratos 7,8, proteínas 6

# Ensalada De Arándanos

**Tiempo de preparación: 5 minutos**
**Tiempo de cocción: 0 minutos**
**Porciones: 4**

**Ingredientes:**

- 2 tazas de arándanos
- 3 cucharadas de menta, picada
- 1 pera, sin corazón y cortada en cubos
- 1 manzana, corazón y cubitos
- 1 cucharada de azúcar de coco

**Direcciones:**

1. En un bol combina los arándanos con la menta y los demás ingredientes, mezcla y sirve frío.

**Nutrición:**calorías 150, grasas 2,4, fibra 4, carbohidratos 6,8, proteínas 6

# Crema de dátiles y plátano

**Tiempo de preparación: 5 minutos**
**Tiempo de cocción: 0 minutos**
**Porciones: 4**

**Ingredientes:**

- 1 taza de leche de almendras
- 1 plátano, pelado y rebanado
- 1 cucharadita de extracto de vainilla
- ½ taza de crema de coco
- dátiles, picados

**Direcciones:**

1. En una licuadora combina los dátiles con el plátano y los demás ingredientes, licúa bien, divide en tazas y sirve frío.

**Nutrición:**calorías 271, grasas 21,6, fibra 3,8, carbohidratos 21,2, proteínas 2,7

# muffins de ciruela

**Tiempo de preparación: 10 minutos**
**Tiempo de cocción: 25 minutos**
**Porciones: 12**

**Ingredientes:**

- 3 cucharadas de aceite de coco, derretido
- ½ taza de leche de almendras
- 4 huevos batidos
- 1 cucharadita de extracto de vainilla
- 1 taza de harina de almendras
- 2 cucharaditas de canela molida
- ½ cucharadita de polvo para hornear
- 1 taza de ciruelas, sin hueso y picadas

**Direcciones:**

1. En un bol, combine el aceite de coco con la leche de almendras y los demás ingredientes y mezcle bien.
2. Divida en un molde para muffins, colóquelo en el horno a 350 °F y hornee por 25 minutos.
3. Sirve los muffins fríos.

**Nutrición:**calorías 270, grasas 3,4, fibra 4,4, carbohidratos 12, proteínas 5

# Tazones de ciruelas y pasas

**Tiempo de preparación: 10 minutos**
**Tiempo de cocción: 20 minutos**
**Porciones: 4**

**Ingredientes:**

- ½ libra de ciruelas, sin hueso y partidas por la mitad
- 2 cucharadas de azúcar de coco
- 4 cucharadas de pasas
- 1 cucharadita de extracto de vainilla
- 1 taza de crema de coco

**Direcciones:**

1. En una sartén combinar las ciruelas con el azúcar y los demás ingredientes, llevar a ebullición y cocinar a fuego medio durante 20 minutos.
2. Dividir en tazones y servir.

**Nutrición:**calorías 219, grasas 14,4, fibra 1,8, carbohidratos 21,1, proteínas 2,2

# Barras de semillas de girasol

**Tiempo de preparación: 10 minutos**
**Tiempo de cocción: 20 minutos**
**Porciones: 6**

**Ingredientes:**

- 1 taza de harina de coco
- ½ cucharadita de bicarbonato de sodio
- 1 cucharada de semillas de lino
- 3 cucharadas de leche de almendras
- 1 taza de semillas de girasol
- 2 cucharadas de aceite de coco, derretido
- 1 cucharadita de extracto de vainilla

**Direcciones:**

1. En un bol mezclar la harina con el bicarbonato de sodio y los demás ingredientes, mezclar bien, esparcir en una bandeja para horno, presionar bien, hornear en el horno a 350 grados por 20 minutos, dejar enfriar, cortar en barras y servir.

**Nutrición:**calorías 189, grasas 12,6, fibra 9,2, carbohidratos 15,7, proteínas 4,7

# Cuencos para moras y anacardos

**Tiempo de preparación: 10 minutos**

**Tiempo de cocción: 0 minutos**

**Porciones: 4**

**Ingredientes:**

- 1 taza de nueces de la India
- 2 tazas de moras
- ¾ taza de crema de coco
- 1 cucharadita de extracto de vainilla
- 1 cucharada de azúcar de coco

**Direcciones:**

1. En un bol, combine los anacardos con las bayas y los demás ingredientes, mezcle, divida en tazones pequeños y sirva.

**Nutrición:**calorías 230, grasas 4, fibra 3,4, carbohidratos 12,3, proteínas 8

# Tazones de naranja y mandarina

**Tiempo de preparación: 4 minutos**
**Tiempo de cocción: 8 minutos**
**Porciones: 4**

**Ingredientes:**

- 4 naranjas, peladas y cortadas en gajos
- 2 mandarinas, peladas y cortadas en gajos
- Zumo de 1 lima
- 2 cucharadas de azúcar de coco
- 1 taza de agua

**Direcciones:**

1. En una sartén combinar las naranjas con las mandarinas y los demás ingredientes, llevar a ebullición y cocinar a fuego medio durante 8 minutos.
2. Dividir en tazones y servir frío.

**Nutrición:**calorías 170, grasas 2,3, fibra 2,3, carbohidratos 11, proteínas 3,4

# Crema de calabaza

**Tiempo de preparación: 2 horas**
**Tiempo de cocción: 0 minutos**
**Porciones: 4**

**Ingredientes:**

- 2 tazas de crema de coco
- 1 taza de puré de calabaza
- 14 onzas de crema de coco
- 3 cucharadas de azúcar de coco

**Direcciones:**

1. En un bol combinar la nata con el puré de calabaza y los demás ingredientes, mezclar bien, dividir en tazones pequeños y reservar en el frigorífico 2 horas antes de servir.

**Nutrición:**calorías 350, grasas 12,3, fibra 3, carbohidratos 11,7, proteínas 6

# Mezcla de higos y ruibarbo

**Tiempo de preparación: 6 minutos**
**Tiempo de cocción: 14 minutos**
**Porciones: 4**

**Ingredientes:**

- 2 cucharadas de aceite de coco, derretido
- 1 taza de ruibarbo, picado en trozos grandes
- 12 higos, cortados por la mitad
- ¼ taza de azúcar de coco
- 1 taza de agua

**Direcciones:**

1. Calienta una sartén con aceite a fuego medio, agrega los higos y el resto de los ingredientes, mezcla, cocina por 14 minutos, divide en tazas y sirve frío.

**Nutrición:**calorías 213, grasas 7,4, fibra 6,1, carbohidratos 39, proteínas 2,2

# Plátano especiado

**Tiempo de preparación: 4 minutos**
**Tiempo de cocción: 15 minutos**
**Porciones: 4**

**Ingredientes:**

- 4 plátanos, pelados y cortados por la mitad
- 1 cucharadita de nuez moscada, molida
- 1 cucharadita de canela molida
- Zumo de 1 lima
- 4 cucharadas de azúcar de coco

**Direcciones:**

1. Coloque los plátanos en una bandeja para hornear, agregue nuez moscada y otros ingredientes, hornee a 350 grados durante 15 minutos.
2. Divida los plátanos horneados entre los platos y sirva.

**Nutrición:**calorías 206, grasas 0,6, fibra 3,2, carbohidratos 47,1, proteínas 2,4

# batido de cacao

**Tiempo de preparación: 5 minutos**

**Tiempo de cocción: 0 minutos**

**Porciones: 2**

**Ingredientes:**

- 2 cucharaditas de cacao en polvo
- 1 aguacate, sin hueso, pelado y triturado
- 1 taza de leche de almendras
- 1 taza de crema de coco

**Direcciones:**

1. En tu licuadora combina la leche de almendras con la crema y los demás ingredientes, bate bien, divide en tazas y sirve frío.

**Nutrición:**calorías 155, grasas 12,3, fibra 4, carbohidratos 8,6, proteínas 5

# barras de plátano

**Tiempo de preparación: 30 minutos**

**Tiempo de cocción: 0 minutos**

**Porciones: 4**

**Ingredientes:**

- 1 taza de aceite de coco, derretido
- 2 plátanos, pelados y picados
- 1 aguacate, pelado, sin hueso y triturado
- ½ taza de azúcar de coco
- ¼ de taza de jugo de lima
- 1 cucharadita de ralladura de limón
- Spray para cocinar

**Direcciones:**

1. En su procesador de alimentos, combine los plátanos con el aceite y los ingredientes restantes excepto el aceite en aerosol y mezcle bien.
2. Engrasa una charola para horno con aceite en aerosol, vierte y esparce la mezcla de plátano, esparce, guarda en el refrigerador por 30 minutos, corta en barras y sirve.

**Nutrición:**calorías 639, grasas 64,6, fibra 4,9, carbohidratos 20,5, proteínas 1,7

# Bar con té verde y dátiles.

**Tiempo de preparación: 10 minutos**
**Tiempo de cocción: 30 minutos**
**Porciones: 8**

**Ingredientes:**

- 2 cucharadas de té verde en polvo
- 2 tazas de leche de coco, tibia
- ½ taza de aceite de coco, derretido
- 2 tazas de azúcar de coco
- 4 huevos batidos
- 2 cucharaditas de extracto de vainilla
- 3 tazas de harina de almendras
- 1 cucharadita de bicarbonato de sodio
- 2 cucharaditas de polvo de hornear

**Direcciones:**

1. En un bol combinar la leche de coco con el té verde en polvo y el resto de los ingredientes, mezclar bien, verter en un molde cuadrado, esparcir, colocar en el horno, hornear a 350 grados durante 30 minutos, enfriar, cortar en barras y servir.

**Nutrición:**calorías 560, grasas 22,3, fibra 4, carbohidratos 12,8, proteínas 22,1

# crema de nueces

**Tiempo de preparación: 2 horas**
**Tiempo de cocción: 0 minutos**
**Porciones: 4**

**Ingredientes:**

- 2 tazas de leche de almendras
- ½ taza de crema de coco
- ½ taza de nueces picadas
- 3 cucharadas de azúcar de coco
- 1 cucharadita de extracto de vainilla

**Direcciones:**

1. En un bol combinar la leche de almendras con la nata y el resto de ingredientes, mezclar bien, dividir en tazas y reservar en el frigorífico 2 horas antes de servir.

**Nutrición:**calorías 170, grasas 12,4, fibra 3, carbohidratos 12,8, proteínas 4

# Pastel de limón

**Tiempo de preparación: 10 minutos**
**Tiempo de cocción: 35 minutos**
**Porciones: 6**

**Ingredientes:**

- 2 tazas de harina integral
- 1 cucharadita de polvo para hornear
- 2 cucharadas de aceite de coco, derretido
- 1 huevo batido
- 3 cucharadas de azúcar de coco
- 1 taza de leche de almendras
- La ralladura de 1 limón
- Jugo de 1 limón

**Direcciones:**

1. En un bol combinar la harina con el aceite y los demás ingredientes, mezclar bien, transferir todo a un molde para bizcocho y hornear a 360° durante 35 minutos.
2. Cortar y servir frío.

**Nutrición:**calorías 222, grasas 12,5, fibra 6,2, carbohidratos 7, proteínas 17,4

# barras de pasas

**Tiempo de preparación: 10 minutos**
**Tiempo de cocción: 25 minutos**
**Porciones: 6**

**Ingredientes:**

- 1 cucharadita de canela molida
- 2 tazas de harina de almendras
- 1 cucharadita de polvo para hornear
- ½ cucharadita de nuez moscada, molida
- 1 taza de aceite de coco, derretido
- 1 taza de azúcar de coco
- 1 huevo batido
- 1 taza de pasas

**Direcciones:**

1. En un bol combinar la harina con la canela y los demás ingredientes, mezclar bien, esparcir en una bandeja para horno forrada, colocar en el horno, hornear a 380 grados por 25 minutos, cortar en tiras y servir frío.

**Nutrición:**calorías 274, grasas 12, fibra 5,2, carbohidratos 14,5, proteínas 7

# Cuadrados de Nectarina

**Tiempo de preparación: 10 minutos**
**Tiempo de cocción: 20 minutos**
**Porciones: 4**

**Ingredientes:**

- 3 nectarinas, deshuesadas y picadas
- 1 cucharada de azúcar de coco
- ½ cucharadita de bicarbonato de sodio
- 1 taza de harina de almendras
- 4 cucharadas de aceite de coco, derretido
- 2 cucharadas de cacao en polvo

**Direcciones:**

1. En una licuadora combinar las nectarinas con el azúcar y el resto de los ingredientes, batir bien, verter en un molde cuadrado forrado, esparcir, hornear a 375 grados por 20 minutos, dejar enfriar un poco la mezcla, cortar en cuadritos y servir.

**Nutrición:**calorías 342, grasas 14,4, fibra 7,6, carbohidratos 12, proteínas 7,7

# guiso de uva

**Tiempo de preparación: 10 minutos**
**Tiempo de cocción: 20 minutos**
**Porciones: 4**

**Ingredientes:**

- 1 taza de uvas verdes
- Jugo de ½ lima
- 2 cucharadas de azúcar de coco
- 1 ½ tazas de agua
- 2 cucharaditas de cardamomo en polvo

**Direcciones:**

1. Calienta una olla con agua a fuego medio, agrega las uvas y los demás ingredientes, lleva a ebullición, cocina por 20 minutos, divide en tazones y sirve.

**Nutrición:**calorías 384, grasas 12,5, fibra 6,3, carbohidratos 13,8, proteínas 5,6

# Crema de mandarina y ciruela

**Tiempo de preparación: 10 minutos**
**Tiempo de cocción: 20 minutos**
**Porciones: 4**

**Ingredientes:**

- 1 mandarina, pelada y picada
- ½ libra de ciruelas, deshuesadas y picadas
- 1 taza de crema de coco
- Jugo de 2 mandarinas
- 2 cucharadas de azúcar de coco

**Direcciones:**

1. En una licuadora combina la mandarina con las ciruelas y demás ingredientes, bate bien, divide en moldes pequeños, coloca en el horno, hornea a 350 grados por 20 minutos y sirve frío.

**Nutrición:**calorías 402, grasas 18,2, fibra 2, carbohidratos 22,2, proteínas 4,5

# Crema de Cereza y Fresa

**Tiempo de preparación: 10 minutos**
**Tiempo de cocción: 0 minutos**
**Porciones: 6**

**Ingredientes:**

- 1 libra de cerezas, sin hueso
- 1 taza de fresas, picadas
- ¼ taza de azúcar de coco
- 2 tazas de crema de coco

**Direcciones:**

1. En una licuadora, combine las cerezas con los demás ingredientes, mezcle bien, divida en tazones y sirva frío.

**Nutrición:**calorías 342, grasas 22,1, fibra 5,6, carbohidratos 8,4, proteínas 6,5

# Cardamomo, nueces y arroz con leche

**Tiempo de preparación: 5 minutos**
**Tiempo de cocción: 40 minutos**
**Porciones: 4**

**Ingredientes:**

- 1 taza de arroz basmati
- 3 tazas de leche de almendras
- 3 cucharadas de azúcar de coco
- ½ cucharadita de cardamomo en polvo
- ¼ taza de nueces picadas

**Direcciones:**

1. En una sartén combina el arroz con la leche y los demás ingredientes, mezcla, cocina por 40 minutos a fuego medio, divide en tazones y sirve frío.

**Nutrición:**calorías 703, grasas 47,9, fibra 5,2, carbohidratos 62,1, proteínas 10,1

# pan de pera

**Tiempo de preparación: 10 minutos**
**Tiempo de cocción: 30 minutos**
**Porciones: 4**

**Ingredientes:**

- 2 tazas de peras, sin corazón y cortadas en cubitos
- 1 taza de azúcar de coco
- 2 huevos batidos
- 2 tazas de harina de almendras
- 1 cucharada de polvo para hornear
- 1 cucharada de aceite de coco, derretido

**Direcciones:**

1. En un bol mezclar las peras con el azúcar y los demás ingredientes, licuar, verterlas en una fuente para horno, colocar en el horno y hornear a 350 grados durante 30 minutos.
2. Cortar y servir frío.

**Nutrición:**calorías 380, grasas 16,7, fibra 5, carbohidratos 17,5, proteínas 5,6

# Arroz con leche y cerezas

**Tiempo de preparación: 10 minutos**
**Tiempo de cocción: 25 minutos**
**Porciones: 4**

**Ingredientes:**

- 1 cucharada de aceite de coco, derretido
- 1 taza de arroz blanco
- 3 tazas de leche de almendras
- ½ taza de cerezas, sin hueso y partidas por la mitad
- 3 cucharadas de azúcar de coco
- 1 cucharadita de canela molida
- 1 cucharadita de extracto de vainilla

**Direcciones:**

1. En una sartén combinar el aceite con el arroz y los demás ingredientes, mezclar, llevar a ebullición, cocinar por 25 minutos a fuego medio, dividir en tazones y servir frío.

**Nutrición:**calorías 292, grasas 12,4, fibra 5,6, carbohidratos 8, proteínas 7

# Estofado De Sandía

**Tiempo de preparación: 5 minutos**
**Tiempo de cocción: 8 minutos**
**Porciones: 4**

**Ingredientes:**

- Zumo de 1 lima
- 1 cucharadita de ralladura de lima
- 1 ½ tazas de azúcar de coco
- 4 tazas de sandía, pelada y cortada en trozos grandes
- 1 ½ tazas de agua

**Direcciones:**

1. En una sartén combinar la sandía con la ralladura de lima y los demás ingredientes, mezclar, llevar a ebullición a fuego medio, cocinar por 8 minutos, dividir en tazones y servir frío.

**Nutrición:**: calorías 233, grasas 0,2, fibra 0,7, carbohidratos 61,5, proteínas 0,9

# budín de jengibre

**Tiempo de preparación: 1 hora**
**Tiempo de cocción: 0 minutos**
**Porciones: 4**

**Ingredientes:**

- 2 tazas de leche de almendras
- ½ taza de crema de coco
- 2 cucharadas de azúcar de coco
- 1 cucharada de jengibre rallado
- ¼ de taza de semillas de chía

**Direcciones:**

1. En un bol combinar la leche con la nata y el resto de ingredientes, batir bien, dividir en tazas y reservar en el frigorífico 1 hora antes de servir.

**Nutrición:**calorías 345, grasas 17, fibra 4,7, carbohidratos 11,5, proteínas 6,9

# Crema de anacardo

**Tiempo de preparación: 2 horas**
**Tiempo de cocción: 0 minutos**
**Porciones: 4**

**Ingredientes:**

- 1 taza de anacardos, picados
- 2 cucharadas de aceite de coco, derretido
- 2 cucharadas de aceite de coco, derretido
- 1 taza de crema de coco
- cucharadas de jugo de limon
- 1 cucharada de azúcar de coco

**Direcciones:**

1. En una licuadora, combine los anacardos con el aceite de coco y los demás ingredientes, mezcle bien, divida en tazas y reserve en el refrigerador por 2 horas antes de servir.

**Nutrición:**calorías 480, grasas 43,9, fibra 2,4, carbohidratos 19,7, proteínas 7

# galletas de cáñamo

**Tiempo de preparación: 30 minutos**
**Tiempo de cocción: 0 minutos**
**Porciones: 6**

**Ingredientes:**

- 1 taza de almendras, remojadas durante la noche y escurridas
- 2 cucharadas de cacao en polvo
- 1 cucharada de azúcar de coco
- ½ taza de semillas de cáñamo
- ¼ taza de coco rallado
- ½ taza de agua

**Direcciones:**

1. En su procesador de alimentos, combine las almendras con el cacao en polvo y otros ingredientes, bata bien, presione sobre una bandeja para hornear forrada, refrigere por 30 minutos, corte en rodajas y sirva.

**Nutrición:**calorías 270, grasas 12,6, fibra 3, carbohidratos 7,7, proteínas 7

# Tazones de almendras y granada

**Tiempo de preparación: 2 horas**
**Tiempo de cocción: 0 minutos**
**Porciones: 4**

**Ingredientes:**

- ½ taza de crema de coco
- 1 cucharadita de extracto de vainilla
- 1 taza de almendras picadas
- 1 taza de semillas de granada
- 1 cucharada de azúcar de coco

**Direcciones:**

1. En un bol combinar las almendras con la nata y los demás ingredientes, mezclar, dividir en tazones pequeños y servir.

**Nutrición:**calorías 258, grasas 19, fibra 3,9, carbohidratos 17,6, proteínas 6,2

# Mostaza Verde Salteada

**Tiempo de preparación: 10 minutos**
**Tiempo de cocción: 12 minutos**
**Porciones: 4**

**Ingredientes:**

- 6 tazas de mostaza
- 2 cucharadas de aceite de oliva
- 2 cebolletas, picadas
- ½ taza de crema de coco
- 2 cucharadas de pimentón dulce
- Pimienta negra al gusto

**Direcciones:**

1. Calienta una sartén con aceite a fuego medio-alto, agrega la cebolla, el pimentón y la pimienta negra, revuelve y saltea por 3 minutos.
2. Agrega la mostaza y los demás ingredientes, mezcla, cocina por otros 9 minutos, divide en platos y sirve como guarnición.

**Nutrición:**calorías 163, grasas 14,8, fibra 4,9, carbohidratos 8,3, proteínas 3,6

# Mezcla de bok choy

**Tiempo de preparación: 10 minutos**
**Tiempo de cocción: 12 minutos**
**Porciones: 4**

**Ingredientes:**

- 1 cucharada de aceite de aguacate
- 1 cucharada de vinagre balsámico
- 1 cebolla amarilla, picada
- 1 libra de bok choy, partido en pedazos
- 1 cucharadita de comino molido
- 1 cucharada de aminoácidos de coco
- ¼ de taza de caldo de verduras bajo en sodio
- Pimienta negra al gusto

**Direcciones:**

1. Calienta una sartén con aceite a fuego medio-alto, agrega la cebolla, el comino y la pimienta negra, revuelve y cocina por 3 minutos.
2. Agregue el bok choy y otros ingredientes, mezcle, cocine por otros 8-9 minutos, divida en platos y sirva como guarnición.

**Nutrición:**calorías 38, grasas 0,8, fibra 2, carbohidratos 6,5, proteínas 2,2

# Mix de judías verdes y berenjenas

**Tiempo de preparación: 4 minutos**
**Tiempo de cocción: 40 minutos**
**Porciones: 4**

**Ingredientes:**

- 1 libra de judías verdes, cortadas y cortadas por la mitad
- 1 berenjena pequeña, cortada en trozos grandes
- 1 cebolla amarilla, picada
- 2 cucharadas de aceite de oliva
- 2 cucharadas de jugo de lima
- 1 cucharadita de pimentón ahumado
- ¼ de taza de caldo de verduras bajo en sodio
- Pimienta negra al gusto
- ½ cucharadita de orégano seco

**Direcciones:**

1. En una fuente para horno, combine las judías verdes con las berenjenas y los demás ingredientes, mezcle, coloque en el horno, hornee a 390°C durante 40 minutos, divida entre los platos y sirva como guarnición.

**Nutrición:**calorías 141, grasas 7,5, fibra 8,9, carbohidratos 19, proteínas 3,7

# Mezclar Aceitunas y Alcachofas

**Tiempo de preparación: 5 minutos**
**Tiempo de enfriamiento: 0 minutos**
**Porciones: 4**

**Ingredientes:**

- 10 onzas de corazones de alcachofa enlatados, sin sal agregada, escurridos y cortados por la mitad
- 1 taza de aceitunas negras, deshuesadas y en rodajas
- 1 cucharada de alcaparras, escurridas
- 1 taza de aceitunas verdes, deshuesadas y en rodajas
- 1 cucharada de perejil picado
- Pimienta negra al gusto
- 2 cucharadas de aceite de oliva
- 2 cucharadas de vinagre de vino tinto
- 1 cucharada de cebollino picado

**Direcciones:**

1. En una ensaladera combinar las alcachofas con las aceitunas y los demás ingredientes, mezclar y servir como guarnición.

**Nutrición:**calorías 138, grasas 11, fibra 5,1, carbohidratos 10, proteínas 2,7

# Dip de pimientos y cúrcuma

**Tiempo de preparación: 4 minutos**
**Tiempo de cocción: 0 minutos**
**Porciones: 4**

**Ingredientes:**

- 1 cucharadita de cúrcuma en polvo
- 1 taza de crema de coco
- 14 onzas de pimientos rojos, sin sal agregada, picados
- Jugo de ½ limón
- 1 cucharada de cebollino picado

**Direcciones:**

1. En tu licuadora, combina los pimientos con la cúrcuma y el resto de los ingredientes excepto el cebollino, bate bien, divide en tazones y sirve como refrigerio con el cebollino espolvoreado encima.

**Nutrición:**calorías 183, grasas 14,9, fibra 3. carbohidratos 12,7, proteínas 3,4

# Crema de lentejas

**Tiempo de preparación: 5 minutos**
**Tiempo de cocción: 0 minutos**
**Porciones: 4**

**Ingredientes:**

- 14 onzas de lentejas enlatadas, escurridas, sin sal agregada y enjuagadas
- Jugo de 1 limón
- 2 dientes de ajo, picados
- 2 cucharadas de aceite de oliva
- ½ taza de cilantro picado

**Direcciones:**

1. En una licuadora, combine las lentejas con el aceite y los demás ingredientes, mezcle bien, divida en tazones y sirva como crema de fiesta.

**Nutrición:**calorías 416, grasas 8,2, fibra 30,4, carbohidratos 60,4, proteínas 25,8

# Nueces tostadas

**Tiempo de preparación: 5 minutos**
**Tiempo de cocción: 15 minutos**
**Porciones: 8**

**Ingredientes:**

- ½ cucharadita de pimentón ahumado
- ½ cucharadita de chile en polvo
- ½ cucharadita de ajo en polvo
- 1 cucharada de aceite de aguacate
- Una pizca de pimienta de cayena
- 14 onzas de nueces

**Direcciones:**

1. Extienda las nueces en una bandeja para hornear forrada, agregue el pimentón y los ingredientes restantes, mezcle y hornee a 410 grados durante 15 minutos.
2. Dividir en tazones y servir como refrigerio.

**Nutrición:**calorías 311, grasas 29,6, fibra 3,6, carbohidratos 5,3, proteínas 12

# Cuadrados de arándanos

**Tiempo de preparación:**3 horas y 5 minutos

**Tiempo de cocción: 0 minutos**
**Porciones: 4**

**Ingredientes:**

- 2 onzas de crema de coco
- 2 cucharadas de copos de avena
- 2 cucharadas de coco rallado
- 1 taza de arándanos

**Direcciones:**

1. En una licuadora, combine la avena con los arándanos y otros ingredientes, bata bien y extienda en un molde cuadrado.

Córtelos en cuadritos y guárdelos en el frigorífico 3 horas antes de servir.

**Nutrición:**calorías 66, grasas 4,4, fibra 1,8, carbohidratos 5,4, proteínas 0,8

# barras de coliflor

**Tiempo de preparación: 10 minutos**
**Tiempo de cocción: 30 minutos**
**Porciones: 8**

**Ingredientes:**

- 2 tazas de harina integral
- 2 cucharaditas de polvo de hornear
- Una pizca de pimienta negra
- 2 huevos batidos
- 1 taza de leche de almendras
- 1 taza de floretes de coliflor, picados
- ½ taza de queso cheddar bajo en grasa, rallado

**Direcciones:**

1. En un bol, combine la harina con la coliflor y los demás ingredientes y mezcle bien.
2. Extienda sobre una bandeja para hornear, colóquelo en el horno, hornee a 400°F por 30 minutos, córtelo en barras y sirva como refrigerio.

**Nutrición:**calorías 430, grasas 18,1, fibra 3,7, carbohidratos 54, proteínas 14,5

# Tazones de almendras y semillas

**Tiempo de preparación: 5 minutos**
**Tiempo de cocción: 10 minutos**
**Porciones: 4**

**Ingredientes:**

- 2 tazas de almendras
- ¼ taza de coco rallado
- 1 mango, pelado y cortado en cubos
- 1 taza de semillas de girasol
- Spray para cocinar

**Direcciones:**

1. Extienda las almendras, el coco, el mango y las semillas de girasol en una bandeja para hornear, rocíe con aceite en aerosol, revuelva y hornee a 400 grados durante 10 minutos.
2. Dividir en tazones y servir como refrigerio.

**Nutrición:**calorías 411, grasas 31,8, fibra 8,7, carbohidratos 25,8, proteínas 13,3

# papas fritas

**Tiempo de preparación: 10 minutos**
**Tiempo de cocción: 20 minutos**
**Porciones: 4**

**Ingredientes:**

- 4 papas doradas, peladas y cortadas en rodajas finas
- 2 cucharadas de aceite de oliva
- 1 cucharada de chile en polvo
- 1 cucharadita de pimentón dulce
- 1 cucharada de cebollino picado

**Direcciones:**

1. Extienda las patatas fritas en una bandeja para hornear forrada, agregue el aceite y los demás ingredientes, mezcle, colóquelas en el horno y hornee a 390 grados durante 20 minutos.
2. Dividir en tazones y servir.

**Nutrición:**calorías 118, grasas 7,4, fibra 2,9, carbohidratos 13,4, proteínas 1,3

# Departamento de col rizada

**Tiempo de preparación: 10 minutos**
**Tiempo de cocción: 20 minutos**
**Porciones: 4**

**Ingredientes:**

- 1 manojo de hojas de col
- 1 taza de crema de coco
- 1 chalota, picada
- 1 cucharada de aceite de oliva
- 1 cucharadita de chile en polvo
- Una pizca de pimienta negra

**Direcciones:**

1. Calentar una sartén con aceite a fuego medio, agregar las chalotas, mezclar y sofreír por 4 minutos.
2. Agrega la col rizada y los demás ingredientes, lleva a ebullición y cocina a fuego medio durante 16 minutos.
3. Licua con una batidora de mano, divide en tazones y sirve como refrigerio.

**Nutrición:**calorías 188, grasas 17,9, fibra 2,1, carbohidratos 7,6, proteínas 2,5

# chips de remolacha

**Tiempo de preparación: 10 minutos**
**Tiempo de cocción: 35 minutos**
**Porciones: 4**

**Ingredientes:**

- 2 remolachas, peladas y cortadas en rodajas finas
- 1 cucharada de aceite de aguacate
- 1 cucharadita de comino molido
- 1 cucharadita de semillas de hinojo, trituradas
- 2 cucharaditas de ajo, picado

**Direcciones:**

1. Extienda los chips de remolacha en una bandeja para hornear forrada, agregue el aceite y el resto de los ingredientes, mezcle, coloque en el horno y hornee a 400 grados durante 35 minutos.
2. Dividir en tazones y servir como refrigerio.

**Nutrición:**calorías 32, grasas 0,7, fibra 1,4, carbohidratos 6,1, proteínas 1,1

# Salsa De Calabacín

**Tiempo de preparación: 5 minutos**
**Tiempo de cocción: 10 minutos**
**Porciones: 4**

**Ingredientes:**

- ½ taza de yogur bajo en grasa
- 2 calabacines, picados
- 1 cucharada de aceite de oliva
- 2 cebolletas, picadas
- ¼ de taza de caldo de verduras bajo en sodio
- 2 dientes de ajo, picados
- 1 cucharada de eneldo, picado
- Una pizca de nuez moscada molida

**Direcciones:**

1. Calienta una sartén con aceite a fuego medio, agrega la cebolla y el ajo, mezcla y fríe por 3 minutos.
2. Añade los calabacines y el resto de ingredientes excepto el yogur, mezcla, cocina 7 minutos más y retira del fuego.
3. Agrega el yogur, licúa con una batidora de mano, divide en tazones y sirve.

**Nutrición:**calorías 76, grasas 4,1, fibra 1,5, carbohidratos 7,2, proteínas 3,4

# Mezcla de semillas y manzana

**Tiempo de preparación: 10 minutos**
**Tiempo de cocción: 20 minutos**
**Porciones: 4**

**Ingredientes:**

- 2 cucharadas de aceite de oliva
- 1 cucharadita de pimentón ahumado
- 1 taza de semillas de girasol
- 1 taza de semillas de chía
- 2 manzanas, sin corazón y cortadas en gajos
- ½ cucharadita de comino molido
- Una pizca de pimienta de cayena

**Direcciones:**

1. En un bol, combine las semillas con las manzanas y los demás ingredientes, mezcle, extienda sobre una bandeja para hornear forrada, coloque en el horno y hornee a 350 grados durante 20 minutos.
2. Dividir en tazones y servir como refrigerio.

**Nutrición:**calorías 222, grasas 15,4, fibra 6,4, carbohidratos 21,1, proteínas 4

# Crema de calabaza

**Tiempo de preparación: 5 minutos**
**Tiempo de cocción: 0 minutos**
**Porciones: 4**

**Ingredientes:**

- 2 tazas de pulpa de calabaza
- ½ taza de semillas de calabaza
- 1 cucharada de jugo de limón
- 1 cucharada de pasta de semillas de sésamo
- 1 cucharada de aceite de oliva

**Direcciones:**

1. En una licuadora, combine la calabaza con las semillas y los demás ingredientes, mezcle bien, divida en tazones y sirva como crema de fiesta.

**Nutrición:**calorías 162, grasas 12,7, fibra 2,3, carbohidratos 9,7, proteínas 5,5

# Crema De Espinacas

**Tiempo de preparación: 10 minutos**
**Tiempo de cocción: 20 minutos**
**Porciones: 4**

**Ingredientes:**

- 1 libra de espinacas, picadas
- 1 taza de crema de coco
- 1 taza de mozzarella baja en grasa, rallada
- Una pizca de pimienta negra
- 1 cucharada de eneldo, picado

**Direcciones:**

1. En una sartén combinar las espinacas con la crema y los demás ingredientes, mezclar bien, colocar en el horno y hornear a 400 grados por 20 minutos.
2. Dividir en tazones y servir.

**Nutrición:**calorías 186, grasas 14,8, fibra 4,4, carbohidratos 8,4, proteínas 8,8

# Salsa De Aceitunas Y Cilantro

**Tiempo de preparación: 5 minutos**
**Tiempo de cocción: 0 minutos**
**Porciones: 4**

**Ingredientes:**

- 1 cebolla morada, picada
- 1 taza de aceitunas negras, deshuesadas y partidas por la mitad
- 1 pepino, cortado en cubitos
- ¼ de taza de cilantro, picado
- Una pizca de pimienta negra
- 2 cucharadas de jugo de lima

**Direcciones:**

1. En un bol combina las aceitunas con el pepino y el resto de los ingredientes, mezcla y sirve frío como snack.

**Nutrición:**calorías 64, grasas 3,7, fibra 2,1, carbohidratos 8,4, proteínas 1,1

# Salsa de cebollino y remolacha

**Tiempo de preparación: 5 minutos**
**Tiempo de cocción: 25 minutos**
**Porciones: 4**

**Ingredientes:**

- 2 cucharadas de aceite de oliva
- 1 cebolla morada, picada
- 2 cucharadas de cebollino picado
- Una pizca de pimienta negra
- 1 remolacha, pelada y picada
- 8 onzas de queso crema bajo en grasa
- 1 taza de crema de coco

**Direcciones:**

1. Calienta una sartén con aceite a fuego medio, agrega la cebolla y sofríe por 5 minutos.
2. Agrega el resto de los ingredientes y cocina todo por otros 20 minutos, revolviendo con frecuencia.
3. Transfiera la mezcla a la licuadora, licue bien, divida en tazones y sirva.

**Nutrición:**calorías 418, grasas 41,2, fibra 2,5, carbohidratos 10, proteínas 6,4

# salsa de pepino

**Tiempo de preparación: 5 minutos**
**Tiempo de cocción: 0 minutos**
**Porciones: 4**

**Ingredientes:**

- 1 libra de pepinos cortados en cubitos
- 1 aguacate, pelado, sin hueso y cortado en cubos
- 1 cucharada de alcaparras, escurridas
- 1 cucharada de cebollino picado
- 1 cebolla morada pequeña, picada
- 1 cucharada de aceite de oliva
- 1 cucharada de vinagre balsámico

**Direcciones:**

1. En un bol combina los pepinos con el aguacate y los demás ingredientes, mezcla, divide en tazas y sirve.

**Nutrición:**calorías 132, grasas 4,4, fibra 4, carbohidratos 11,6, proteínas 4,5

# Salsa De Garbanzos

**Tiempo de preparación: 5 minutos**
**Tiempo de cocción: 0 minutos**
**Porciones: 4**

**Ingredientes:**

- 1 cucharada de aceite de oliva
- 1 cucharada de jugo de limón
- 1 cucharada de pasta de semillas de sésamo
- 2 cucharadas de cebollino picado
- 2 cebolletas, picadas
- 2 tazas de garbanzos enlatados, sin sal agregada, escurridos y enjuagados

**Direcciones:**

1. En tu licuadora, combina los garbanzos con el aceite y el resto de los ingredientes excepto el cebollino, bate bien, divide en tazones, espolvorea el cebollino y sirve.

**Nutrición:**calorías 280, grasas 13,3, fibra 5,5, carbohidratos 14,8, proteínas 6,2

# Departamento de Oliva

**Tiempo de preparación: 4 minutos**
**Tiempo de cocción: 0 minutos**
**Porciones: 4**

**Ingredientes:**

- 2 tazas de aceitunas negras, deshuesadas y picadas
- 1 taza de menta, picada
- 2 cucharadas de aceite de aguacate
- ½ taza de crema de coco
- ¼ de taza de jugo de lima
- Una pizca de pimienta negra

**Direcciones:**

1. En tu licuadora, combina las aceitunas con la menta y otros ingredientes, licúa bien, divide en tazones y sirve.

**Nutrición:**calorías 287, grasas 13,3, fibra 4,7, carbohidratos 17,4, proteínas 2,4

# Dip de cebolla y coco

**Tiempo de preparación: 5 minutos**
**Tiempo de cocción: 0 minutos**
**Porciones: 4**

**Ingredientes:**

- 4 cebolletas, picadas
- 1 chalota, picada
- 1 cucharada de jugo de lima
- Una pizca de pimienta negra
- 2 onzas de mozzarella baja en grasa, rallada
- 1 taza de crema de coco
- 1 cucharada de perejil picado

**Direcciones:**

1. En una licuadora, combine las cebolletas con las chalotas y otros ingredientes, mezcle bien, divida en tazones y sirva como salsa para fiestas.

**Nutrición:**calorías 271, grasas 15,3, fibra 5, carbohidratos 15,9, proteínas 6,9

# Salsa de piñones y coco

**Tiempo de preparación: 5 minutos**
**Tiempo de cocción: 0 minutos**
**Porciones: 4**

**Ingredientes:**

- 8 onzas de crema de coco
- 1 cucharada de piñones, picados
- 2 cucharadas de perejil picado
- Una pizca de pimienta negra

**Direcciones:**

1. En un bol combinar la nata con los piñones y el resto de ingredientes, batir bien, dividir en cuencos y servir.

**Nutrición:**calorías 281, grasas 13, fibra 4,8, carbohidratos 16, proteínas 3,56

# Salsa de rúcula y pepino

**Tiempo de preparación: 5 minutos**
**Tiempo de cocción: 0 minutos**
**Porciones: 4**

**Ingredientes:**

- 4 chalotes, picados
- 2 tomates cortados en cubitos
- 4 pepinos, cortados en cubos
- 1 cucharada de vinagre balsámico
- 1 taza de hojas tiernas de rúcula
- 2 cucharadas de jugo de limón
- 2 cucharadas de aceite de oliva
- Una pizca de pimienta negra

**Direcciones:**

1. En un bol, combine las chalotas con los tomates y los demás ingredientes, mezcle, divida en tazones pequeños y sirva como refrigerio.

**Nutrición:**calorías 139, grasas 3,8, fibra 4,5, carbohidratos 14, proteínas 5,4

# Salsa de queso

**Tiempo de preparación: 5 minutos**
**Tiempo de cocción: 0 minutos**
**Porciones: 6**

**Ingredientes:**

- 1 cucharada de menta, picada
- 1 cucharada de orégano, picado
- 10 onzas de queso crema sin grasa
- ½ taza de jengibre, en rodajas
- 2 cucharadas de aminoácidos de coco

**Direcciones:**

1. En tu licuadora, combina el queso crema con el jengibre y otros ingredientes, licúa bien, divide en tazas y sirve.

**Nutrición:**calorías 388, grasas 15,4, fibra 6, carbohidratos 14,3, proteínas 6

# Salsa de yogur con pimentón

**Tiempo de preparación: 5 minutos**
**Tiempo de cocción: 0 minutos**
**Porciones: 4**

**Ingredientes:**

- 3 tazas de yogur bajo en grasa
- 2 cebolletas, picadas
- 1 cucharadita de pimentón dulce
- ¼ taza de almendras picadas
- ¼ de taza de eneldo picado

**Direcciones:**

1. En un bol combinar el yogur con la cebolla y los demás ingredientes, licuar, dividir en tazones y servir.

**Nutrición:**calorías 181, grasas 12,2, fibra 6, carbohidratos 14,1, proteínas 7

# salsa de coliflor

**Tiempo de preparación: 5 minutos**
**Tiempo de cocción: 0 minutos**
**Porciones: 4**

**Ingredientes:**

- 1 libra de floretes de coliflor, blanqueados
- 1 taza de aceitunas kalamata, sin hueso y partidas por la mitad
- 1 taza de tomates cherry, cortados por la mitad
- 1 cucharada de aceite de oliva
- 1 cucharada de jugo de lima
- Una pizca de pimienta negra

**Direcciones:**

1. En un bol combinar la coliflor con las aceitunas y los demás ingredientes, mezclar y servir.

**Nutrición:**calorías 139, grasas 4, fibra 3,6, carbohidratos 5,5, proteínas 3,4

# Crema De Camarones

**Tiempo de preparación: 5 minutos**
**Tiempo de cocción: 0 minutos**
**Porciones: 4**

**Ingredientes:**

- 8 onzas de crema de coco
- 1 libra de camarones, cocidos, pelados, limpios y picados
- 2 cucharadas de eneldo, picado
- 2 cebolletas, picadas
- 1 cucharada de cilantro picado
- Una pizca de pimienta negra

**Direcciones:**

1. En un bol combinar las gambas con la nata y el resto de ingredientes, licuar y servir para untar.

**Nutrición:**calorías 362, grasas 14,3, fibra 6, carbohidratos 14,6, proteínas 5,9

# salsa de durazno

**Tiempo de preparación: 4 minutos**
**Tiempo de cocción: 0 minutos**
**Porciones: 4**

**Ingredientes:**

- 4 duraznos, deshuesados y cortados en cubos
- 1 taza de aceitunas kalamata, sin hueso y partidas por la mitad
- 1 aguacate, sin hueso, pelado y cortado en cubos
- 1 taza de tomates cherry, cortados por la mitad
- 1 cucharada de aceite de oliva
- 1 cucharada de jugo de lima
- 1 cucharada de cilantro picado

**Direcciones:**

1. En un bol combinar los duraznos con las aceitunas y los demás ingredientes, mezclar bien y servir frío.

**Nutrición:**calorías 200, grasas 7,5, fibra 5, carbohidratos 13,3, proteínas 4,9

# chips de zanahoria

**Tiempo de preparación: 10 minutos**
**Tiempo de cocción: 20 minutos**
**Porciones: 4**

**Ingredientes:**

- 4 zanahorias, cortadas en rodajas finas
- 2 cucharadas de aceite de oliva
- Una pizca de pimienta negra
- 1 cucharadita de pimentón dulce
- ½ cucharadita de cúrcuma en polvo
- Una pizca de hojuelas de chile

**Direcciones:**

1. En un bol, combine las hojuelas de zanahoria con el aceite y los demás ingredientes y mezcle.
2. Extienda las papas fritas en una bandeja para hornear forrada, hornee a 400 °F durante 25 minutos, divídalas en tazones y sirva como refrigerio.

**Nutrición:**calorías 180, grasas 3, fibra 3,3, carbohidratos 5,8, proteínas 1,3

# Bocaditos de espárragos

**Tiempo de preparación: 4 minutos**
**Tiempo de cocción: 20 minutos**
**Porciones: 4**

**Ingredientes:**

- 2 cucharadas de aceite de coco, derretido
- 1 libra de espárragos, cortados y cortados por la mitad
- 1 cucharadita de ajo en polvo
- 1 cucharadita de romero seco
- 1 cucharadita de chile en polvo

**Direcciones:**

1. En un tazón, mezcle los espárragos con el aceite y el resto de los ingredientes, revuelva, extienda sobre una bandeja para hornear forrada y hornee a 400 grados durante 20 minutos.
2. Dividir en tazones y servir frío como refrigerio.

**Nutrición:**calorías 170, grasas 4,3, fibra 4, carbohidratos 7, proteínas 4,5

# Tazones de higos al horno

**Tiempo de preparación: 4 minutos**
**Tiempo de cocción: 12 minutos**
**Porciones: 4**

**Ingredientes:**

- 8 higos, cortados por la mitad
- 1 cucharada de aceite de aguacate
- 1 cucharadita de nuez moscada, molida

**Direcciones:**

1. En una fuente para horno, combine los higos con el aceite y la nuez moscada, mezcle y hornee a 400 grados durante 12 minutos.
2. Divide los higos en tazones pequeños y sírvelos como refrigerio.

**Nutrición:**calorías 180, grasas 4,3, fibra 2, carbohidratos 2, proteínas 3,2

# Salsa de repollo y camarones

**Tiempo de preparación: 5 minutos**
**Tiempo de cocción: 6 minutos**
**Porciones: 4**

**Ingredientes:**

- 2 tazas de repollo rojo, rallado
- 1 libra de camarones, pelados y limpios
- 1 cucharada de aceite de oliva
- Una pizca de pimienta negra
- 2 cebolletas, picadas
- 1 taza de tomates, cortados en cubitos
- ½ cucharadita de ajo en polvo

**Direcciones:**

1. Calienta una sartén con aceite a fuego medio, agrega los langostinos, mezcla y cocina por 3 minutos por lado.
2. En un bol combinar la col con las gambas y los demás ingredientes, mezclar, dividir en tazones pequeños y servir.

**Nutrición:**calorías 225, grasas 9,7, fibra 5,1, carbohidratos 11,4, proteínas 4,5

# Cuñas de aguacate

**Tiempo de preparación: 5 minutos**
**Tiempo de cocción: 10 minutos**
**Porciones: 4**

**Ingredientes:**

- 2 aguacates, pelados, sin hueso y cortados en gajos
- 1 cucharada de aceite de aguacate
- 1 cucharada de jugo de lima
- 1 cucharadita de cilantro molido

**Direcciones:**

1. Extienda las rodajas de aguacate en una bandeja para hornear forrada, agregue el aceite y los ingredientes restantes, revuelva y hornee a 300 grados durante 10 minutos.
2. Divídelas en tazas y sírvelas como refrigerio.

**Nutrición:**calorías 212, grasas 20,1, fibra 6,9, carbohidratos 9,8, proteínas 2

# salsa de limon

**Tiempo de preparación: 4 minutos**
**Tiempo de cocción: 0 minutos**
**Porciones: 4**

**Ingredientes:**

- 1 taza de queso crema bajo en grasa
- Pimienta negra al gusto
- ½ taza de jugo de limón
- 1 cucharada de cilantro picado
- 3 dientes de ajo, picados

**Direcciones:**

1. En tu procesador de alimentos, mezcla el queso crema con el jugo de limón y el resto de los ingredientes, licúa bien, divide en tazones y sirve.

**Nutrición:**calorías 213, grasas 20,5, fibra 0,2, carbohidratos 2,8, proteínas 4,8

# Salsa de camote

**Tiempo de preparación: 10 minutos**
**Tiempo de cocción: 40 minutos**
**Porciones: 4**

**Ingredientes:**

- 1 taza de batatas, peladas y cortadas en cubitos
- 1 cucharada de caldo de verduras bajo en sodio
- Spray para cocinar
- 2 cucharadas de crema de coco
- 2 cucharaditas de romero seco
- Pimienta negra al gusto

**Direcciones:**

1. En una sartén combine las papas con el caldo y los demás ingredientes, mezcle, hornee a 365 grados por 40 minutos, transfiera a la licuadora, bata bien, divida en tazones pequeños y sirva.

**Nutrición:**calorías 65, grasas 2,1, fibra 2, carbohidratos 11,3, proteínas 0,8

# Salsa De Frijoles

**Tiempo de preparación: 5 minutos**
**Tiempo de cocción: 0 minutos**
**Porciones: 4**

**Ingredientes:**

- 1 taza de frijoles negros enlatados, sin sal agregada, escurridos
- 1 taza de frijoles rojos enlatados, sin sal agregada, escurridos
- 1 cucharadita de vinagre balsámico
- 1 taza de tomates cherry, cortados en cubitos
- 1 cucharada de aceite de oliva
- 2 chalotes, picados

**Direcciones:**

1. En un bol, combine los frijoles con el vinagre y otros ingredientes, mezcle y sirva como refrigerio de fiesta.

**Nutrición:**calorías 362, grasas 4,8, fibra 14,9, carbohidratos 61, proteínas 21,4

# Salsa De Judías Verdes

**Tiempo de preparación: 10 minutos**
**Tiempo de cocción: 10 minutos**
**Porciones: 4**

**Ingredientes:**

- 1 libra de judías verdes, cortadas y cortadas por la mitad
- 1 cucharada de aceite de oliva
- 2 cucharaditas de alcaparras, escurridas
- 6 onzas de aceitunas verdes, sin hueso y en rodajas
- 4 dientes de ajo, picados
- 1 cucharada de jugo de lima
- 1 cucharada de orégano, picado
- Pimienta negra al gusto

**Direcciones:**

1. Calienta una sartén con aceite a fuego medio-alto, agrega el ajo y los ejotes, revuelve y cocina por 3 minutos.
2. Agrega el resto de los ingredientes, mezcla, cocina por 7 minutos más, divide en tazas y sirve frío.

**Nutrición:**calorías 111, grasas 6,7, fibra 5,6, carbohidratos 13,2, proteínas 2,9

# Crema de zanahorias

**Tiempo de preparación: 10 minutos**
**Tiempo de cocción: 30 minutos**
**Porciones: 4**

**Ingredientes:**

- 1 libra de zanahorias, peladas y picadas
- ½ taza de nueces picadas
- 2 tazas de caldo de verduras bajo en sodio
- 1 taza de crema de coco
- 1 cucharada de romero picado
- 1 cucharadita de ajo en polvo
- ¼ cucharadita de pimentón ahumado

**Direcciones:**

1. En una cacerola mezclar las zanahorias con el caldo, las nueces y los demás ingredientes excepto la nata y el romero, mezclar, llevar a ebullición a fuego medio, cocinar por 30 minutos, escurrir y pasar a una licuadora.
2. Agrega la nata, licúa bien la mezcla, divide en tazones, espolvorea con romero y sirve.

**Nutrición:**calorías 201, grasas 8,7, fibra 3,4, carbohidratos 7,8, proteínas 7,7

# Salsa de tomate

**Tiempo de preparación: 10 minutos**
**Tiempo de cocción: 10 minutos**
**Porciones: 4**

**Ingredientes:**

- 1 libra de tomates, pelados y picados
- ½ taza de ajo picado
- 2 cucharadas de aceite de oliva
- Una pizca de pimienta negra
- 2 chalotes, picados
- 1 cucharadita de tomillo, seco

**Direcciones:**

1. Calienta una sartén con aceite a fuego medio-alto, agrega el ajo y las chalotas, mezcla y fríe por 2 minutos.
2. Agrega los tomates y los ingredientes restantes, cocina por otros 8 minutos y transfiérelos a una licuadora.
3. Mezclar bien, dividir en tazas y servir como refrigerio.

**Nutrición:**calorías 232, grasas 11,3, fibra 3,9, carbohidratos 7,9, proteínas 4,5

# Tazones De Salmón

**Tiempo de preparación: 10 minutos**
**Tiempo de cocción: 0 minutos**
**Porciones: 6**

**Ingredientes:**

- 1 cucharada de aceite de aguacate
- 1 cucharada de vinagre balsámico
- ½ cucharadita de orégano seco
- 1 taza de salmón ahumado, sin sal agregada, deshuesado, sin piel y cortado en cubitos
- 1 taza de salsa
- 4 tazas de espinacas tiernas

**Direcciones:**

1. En un bol combinar el salmón con la salsa y los demás ingredientes, mezclar, dividir en tazas y servir.

**Nutrición:**calorías 281, grasas 14,4, fibra 7,4, carbohidratos 18,7, proteínas 7,4

# Salsa De Tomate Y Maíz

**Tiempo de preparación: 4 minutos**
**Tiempo de cocción: 0 minutos**
**Porciones: 4**

**Ingredientes:**

- 3 tazas de maíz
- 2 tazas de tomates cortados en cubitos
- 2 cebollas verdes, picadas
- 2 cucharadas de aceite de oliva
- 1 chile rojo, picado
- ½ cucharada de cebollino picado

**Direcciones:**

1. En una ensaladera combinar los tomates con el maíz y los demás ingredientes, mezclar y servir frío como botana.

**Nutrición:**calorías 178, grasas 8,6, fibra 4,5, carbohidratos 25,9, proteínas 4,7

# Champiñones Al Horno

**Tiempo de preparación: 10 minutos**
**Tiempo de cocción: 25 minutos**
**Porciones: 4**

**Ingredientes:**

- Tapas de champiñones pequeñas de 1 libra
- 2 cucharadas de aceite de oliva
- 1 cucharada de cebollino picado
- 1 cucharada de romero picado
- Pimienta negra al gusto

**Direcciones:**

1. Coloca los champiñones en una fuente para horno, agrega el aceite y el resto de los ingredientes, mezcla, hornea a 400°F por 25 minutos, divide en tazones y sirve como botana.

**Nutrición:**calorías 215, grasas 12,3, fibra 6,7, carbohidratos 15,3, proteínas 3,5

# Frijoles para untar

**Tiempo de preparación: 5 minutos**
**Tiempo de cocción: 0 minutos**
**Porciones: 4**

**Ingredientes:**

- ½ taza de crema de coco
- 1 cucharada de aceite de oliva
- 2 tazas de frijoles negros enlatados, sin sal agregada, escurridos y enjuagados
- 2 cucharadas de cebollas verdes, picadas

**Direcciones:**

1. En una licuadora combina los frijoles con la crema y los demás ingredientes, bate bien, divide en tazones y sirve.

**Nutrición:**calorías 311, grasas 13,5, fibra 6, carbohidratos 18,0, proteínas 8

# Salsa de hinojo con cilantro

**Tiempo de preparación: 5 minutos**
**Tiempo de cocción: 0 minutos**
**Porciones: 4**

**Ingredientes:**

- 2 cebolletas picadas
- 2 hinojo, picado
- 1 chile verde, picado
- 1 tomate, picado
- 1 cucharadita de cúrcuma en polvo
- 1 cucharadita de jugo de lima
- 2 cucharadas de cilantro picado
- Pimienta negra al gusto

**Direcciones:**

1. En una ensaladera mezclar el hinojo con la cebolla y los demás ingredientes, mezclar, dividir en tazas y servir.

**Nutrición:**calorías 310, grasas 11,5, fibra 5,1, carbohidratos 22,3, proteínas 6,5

# Picaduras de coles de Bruselas

**Tiempo de preparación: 10 minutos**
**Tiempo de cocción: 25 minutos**
**Porciones: 4**

**Ingredientes:**

- 1 libra de coles de Bruselas, recortadas y cortadas por la mitad
- 2 cucharadas de aceite de oliva
- 1 cucharada de comino molido
- 1 taza de eneldo, picado
- 2 dientes de ajo, picados

**Direcciones:**

1. En una fuente para horno, combine las coles de Bruselas con el aceite y los ingredientes restantes, revuelva y hornee a 390 grados durante 25 minutos.
2. Divida los brotes en tazones y sírvalos como refrigerio.

**Nutrición:**calorías 270, grasas 10,3, fibra 5,2, carbohidratos 11,1, proteínas 6

# Bocados de nueces balsámicos

**Tiempo de preparación: 10 minutos**
**Tiempo de cocción: 15 minutos**
**Porciones: 4**

**Ingredientes:**

- 2 tazas de nueces
- 3 cucharadas de vinagre rojo
- Un chorrito dc aceite de oliva
- Una pizca de pimienta de cayena
- Una pizca de hojuelas de chile
- Pimienta negra al gusto

**Direcciones:**

1. Extienda las nueces en una bandeja para hornear forrada, agregue el vinagre y el resto de los ingredientes, revuelva y cocine a 400 grados durante 15 minutos.
2. Divida las nueces en tazones y sirva.

**Nutrición:**calorías 280, grasas 12,2, fibra 2, carbohidratos 15,8, proteínas 6

# Chips de rábano

**Tiempo de preparación: 10 minutos**
**Tiempo de cocción: 20 minutos**
**Porciones: 4**

**Ingredientes:**

- 1 libra de rábanos, en rodajas finas
- Una pizca de cúrcuma en polvo
- Pimienta negra al gusto
- 2 cucharadas de aceite de oliva

**Direcciones:**

1. Extienda los chips de rábano en una bandeja para hornear forrada, agregue el aceite y los ingredientes restantes, revuelva y hornee a 400 grados durante 20 minutos.
2. Divida las patatas fritas en tazones y sirva.

**Nutrición:**calorías 120, grasas 8,3, fibra 1, carbohidratos 3,8, proteínas 6

# Ensalada de puerros y gambas

**Tiempo de preparación: 4 minutos**
**Tiempo de cocción: 0 minutos**
**Porciones: 4**

**Ingredientes:**

- 2 puerros, rebanados
- 1 taza de cilantro, picado
- 1 libra de camarones, pelados, limpios y cocidos
- Zumo de 1 lima
- 1 cucharada de ralladura de lima, rallada
- 1 taza de tomates cherry, cortados por la mitad
- 2 cucharadas de aceite de oliva
- Sal y pimienta negra al gusto

**Direcciones:**

1. En una ensaladera mezclar las gambas con los puerros y el resto de ingredientes, mezclar, dividir en tazas y servir.

**Nutrición:**calorías 280, grasas 9,1, fibra 5,2, carbohidratos 12,6, proteínas 5

# salsa de puerros

**Tiempo de preparación: 5 minutos**
**Tiempo de cocción: 0 minutos**
**Porciones: 4**

**Ingredientes:**

- 1 cucharada de jugo de limón
- ½ taza de queso crema bajo en grasa
- 2 cucharadas de aceite de oliva
- Pimienta negra al gusto
- 4 puerros, picados
- 1 cucharada de cilantro picado

**Direcciones:**

1. En una licuadora, combine el queso crema con los puerros y otros ingredientes, mezcle bien, divida en tazones y sirva como salsa para fiestas.

**Nutrición:**calorías 300, grasas 12,2, fibra 7,6, carbohidratos 14,7, proteínas 5,6

# Ensalada de col a la pimienta

**Tiempo de preparación: 5 minutos**
**Tiempo de cocción: 0 minutos**
**Porciones: 4**

**Ingredientes:**

- ½ libra de pimiento rojo, cortado en tiras finas
- 3 cebollas verdes, picadas
- 1 cucharada de aceite de oliva
- 2 cucharaditas de jengibre rallado
- ½ cucharadita de romero seco
- 3 cucharadas de vinagre balsámico

**Direcciones:**

1. En una ensaladera mezclar los pimientos con la cebolla y los demás ingredientes, mezclar, dividir en tazas y servir.

**Nutrición:**calorías 160, grasas 6, fibra 3, carbohidratos 10,9, proteínas 5,2

# crema de aguacate

**Tiempo de preparación: 4 minutos**
**Tiempo de cocción: 0 minutos**
**Porciones: 4**

**Ingredientes:**

- 2 cucharadas de eneldo, picado
- 1 chalota, picada
- 2 dientes de ajo, picados
- 2 aguacates, pelados, sin hueso y picados
- 1 taza de crema de coco
- 2 cucharadas de aceite de oliva
- 2 cucharadas de jugo de lima
- Pimienta negra al gusto

**Direcciones:**

1. En una licuadora, combine los aguacates con las chalotas, el ajo y otros ingredientes, mezcle bien, divídalos en tazones pequeños y sirva como refrigerio.

**Nutrición:**calorías 300, grasas 22,3, fibra 6,4, carbohidratos 42, proteínas 8,9

# salsa de maíz

**Tiempo de preparación: 30 minutos**
**Tiempo de cocción: 0 minutos**
**Porciones: 4**

**Ingredientes:**

- Una pizca de pimienta de cayena
- Una pizca de pimienta negra
- 2 tazas de maíz
- 1 taza de crema de coco
- 2 cucharadas de jugo de limón
- 2 cucharadas de aceite de aguacate

**Direcciones:**

1. En una licuadora, combine el maíz con la crema y otros ingredientes, mezcle bien, divida en tazones y sirva como salsa para fiestas.

**Nutrición:**calorías 215, grasas 16,2, fibra 3,8, carbohidratos 18,4, proteínas 4

# barras de frijoles

**Tiempo de preparación: 2 horas**
**Tiempo de cocción: 0 minutos**
**Porciones: 12**

**Ingredientes:**

- 1 taza de frijoles negros enlatados, sin sal agregada, escurridos
- 1 taza de hojuelas de coco, sin azúcar
- 1 taza de mantequilla baja en grasa
- ½ taza de semillas de chía
- ½ taza de crema de coco

**Direcciones:**

1. En una licuadora, combine los frijoles con las hojuelas de coco y otros ingredientes, bata bien, extienda en un molde cuadrado, presione, mantenga en el refrigerador por 2 horas, corte en barras medianas y sirva.

**Nutrición:**calorías 141, grasas 7, fibra 5, carbohidratos 16,2, proteínas 5

# Mezcla de semillas de calabaza y chips de manzana.

**Tiempo de preparación: 10 minutos**
**Tiempo de cocción: 2 horas**
**Porciones: 4**

**Ingredientes:**

- Spray para cocinar
- 2 cucharaditas de nuez moscada, molida
- 1 taza de semillas de calabaza
- 2 manzanas, sin corazón y cortadas en rodajas finas

**Direcciones:**

1. Coloque las semillas de calabaza y los chips de manzana en una bandeja para hornear forrada, espolvoree nuez moscada por todas partes, rocíe con spray, colóquelo en el horno y hornee a 300 grados durante 2 horas.
2. Dividir en tazones y servir como refrigerio.

**Nutrición:**calorías 80, grasa 0, fibra 3, carbohidratos 7, proteínas 4

# Salsa de tomate y yogur

**Tiempo de preparación: 5 minutos**
**Tiempo de cocción: 0 minutos**
**Porciones: 4**

**Ingredientes:**

- 2 tazas de yogur griego sin grasa
- 1 cucharada de perejil picado
- ¼ de taza de tomates enlatados, sin sal agregada, picados
- 2 cucharadas de cebollino picado
- Pimienta negra al gusto

**Direcciones:**

1. En un bol mezclar el yogur con el perejil y los demás ingredientes, batir bien, dividir en tazones pequeños y servir como salsa de fiesta.

**Nutrición:**calorías 78, grasas 0, fibra 0,2, carbohidratos 10,6, proteínas 8,2

# Tazones de remolacha y cayena

**Tiempo de preparación: 10 minutos**
**Tiempo de cocción: 35 minutos**
**Porciones: 2**

**Ingredientes:**

- 1 cucharadita de pimienta de cayena
- 2 remolachas, peladas y cortadas en cubos
- 1 cucharadita de romero seco
- 1 cucharada de aceite de oliva
- 2 cucharaditas de jugo de lima

**Direcciones:**

1. En una fuente para horno, combine los trozos de remolacha con la pimienta de cayena y otros ingredientes, mezcle, coloque en el horno, cocine a 355 grados durante 35 minutos, divida en tazones pequeños y sirva como refrigerio.

**Nutrición:**calorías 170, grasas 12,2, fibra 7, carbohidratos 15,1, proteínas 6

# Tazones de nueces y pecanas

**Tiempo de preparación: 10 minutos**
**Tiempo de cocción: 10 minutos**
**Porciones: 4**

**Ingredientes:**

- 2 tazas de nueces
- 1 taza de nueces, picadas
- 1 cucharadita de aceite de aguacate
- ½ cucharadita de pimentón dulce

**Direcciones:**

1. Extienda las uvas y las nueces en una bandeja para hornear forrada, agregue el aceite y el pimentón, revuelva y hornee a 400 grados durante 10 minutos.
2. Dividir en tazones y servir como refrigerio.

**Nutrición:**calorías 220, grasas 12,4, fibra 3, carbohidratos 12,9, proteínas 5,6

# Muffins De Salmón Con Perejil

**Tiempo de preparación: 10 minutos**
**Tiempo de cocción: 25 minutos**
**Porciones: 4**

**Ingredientes:**

- 1 taza de mozzarella baja en grasa, rallada
- 8 onzas de salmón ahumado, sin piel, deshuesado y picado
- 1 taza de harina de almendras
- 1 huevo batido
- 1 cucharadita de perejil seco
- 1 diente de ajo, picado
- Pimienta negra al gusto
- Spray para cocinar

**Direcciones:**

1. En un tazón, combine el salmón con la mozzarella y el resto de los ingredientes excepto el aceite en aerosol y mezcle bien.
2. Divida esta mezcla en un molde para muffins untado con aceite en aerosol, hornee a 375 grados durante 25 minutos y sirva como refrigerio.

**Nutrición:**calorías 273, grasas 17, fibra 3,5, carbohidratos 6,9, proteínas 21,8

# Tazones de queso y cebolla perlada

**Tiempo de preparación: 10 minutos**
**Tiempo de cocción: 30 minutos**
**Porciones: 8**

**Ingredientes:**

- 20 cebollas blancas perla, peladas
- 3 cucharadas de perejil picado
- 1 cucharada de cebollino picado
- Pimienta negra al gusto
- 1 taza de mozzarella baja en grasa, rallada
- 1 cucharada de aceite de oliva

**Direcciones:**

1. Extienda las cebolletas en una bandeja para horno forrada, agregue el aceite, el perejil, el cebollino y la pimienta negra y mezcle.
2. Espolvoree mozzarella encima, hornee a 390 grados durante 30 minutos, divida en tazones y sirva frío como refrigerio.

**Nutrición:**calorías 136, grasas 2,7, fibra 6, carbohidratos 25,9, proteínas 4,1

# barras de brócoli

**Tiempo de preparación: 10 minutos**
**Tiempo de cocción: 25 minutos**
**Porciones: 8**

**Ingredientes:**

- 1 libra de floretes de brócoli, picados
- ½ taza de mozzarella baja en grasa, rallada
- 2 huevos batidos
- 1 cucharadita de orégano seco
- 1 cucharadita de albahaca, seca
- Pimienta negra al gusto

**Direcciones:**

1. En un bol mezclar el brócoli con el queso y los demás ingredientes, mezclar bien, extender en un molde rectangular y presionar firmemente en el fondo.
2. Llevar al horno a 380°C, hornear por 25 minutos, cortar en barras y servir frío.

**Nutrición:**calorías 46, grasas 1,3, fibra 1,8, carbohidratos 4,2, proteínas 5

# Salsa de piña y tomate

**Tiempo de preparación: 10 minutos**
**Tiempo de cocción: 40 minutos**
**Porciones: 4**

**Ingredientes:**

- 20 onzas de piña enlatada, escurrida y cortada en cubos
- 1 taza de tomates secados al sol, cortados en cubitos
- 1 cucharada de albahaca picada
- 1 cucharada de aceite de aguacate
- 1 cucharadita de jugo de lima
- 1 taza de aceitunas negras, deshuesadas y en rodajas
- Pimienta negra al gusto

**Direcciones:**

1. En un bol, combine los cubos de piña con los tomates y los demás ingredientes, mezcle, divida en tazas más pequeñas y sirva como refrigerio.

**Nutrición:**calorías 125, grasas 4,3, fibra 3,8, carbohidratos 23,6, proteínas 1,5

# Mix de Pavo y Alcachofas

**Tiempo de preparación: 5 minutos**
**Tiempo de cocción: 25 minutos**
**Porciones: 4**

**Ingredientes:**

- 2 cucharadas de aceite de oliva
- 1 pechuga de pavo, sin piel, deshuesada y en rodajas
- Una pizca de pimienta negra
- 1 cucharada de albahaca picada
- 3 dientes de ajo, picados
- 14 onzas de alcachofas enlatadas, sin sal agregada, picadas
- 1 taza de crema de coco
- ¾ taza de mozzarella baja en grasa, rallada

**Direcciones:**

1. Calienta una sartén con aceite a fuego medio-alto, agrega la carne, el ajo y la pimienta negra, revuelve y cocina por 5 minutos.
2. Agrega el resto de los ingredientes excepto el queso, mezcla y cocina a fuego medio por 15 minutos.
3. Espolvorea el queso, cocina todo por otros 5 minutos, divide en platos y sirve.

**Nutrición:**calorías 300, grasas 22,2, fibra 7,2, carbohidratos 16,5, proteínas 13,6

# Mezcla de orégano turco

**Tiempo de preparación: 10 minutos**
**Tiempo de cocción: 30 minutos**
**Porciones: 4**

**Ingredientes:**

- 2 cucharadas de aceite de aguacate
- 1 cebolla morada, picada
- 2 dientes de ajo, picados
- Una pizca de pimienta negra
- 1 cucharada de orégano, picado
- 1 pechuga de pavo grande, sin piel, deshuesada y cortada en cubos
- 1 ½ tazas de caldo de res bajo en sodio
- 1 cucharada de cebollino picado

**Direcciones:**

1. Calienta una sartén con aceite a fuego medio, agrega la cebolla, mezcla y fríe por 3 minutos.
2. Agrega el ajo y la carne, mezcla y cocina por 3 minutos más.
3. Agrega el resto de los ingredientes, mezcla, cocina a fuego medio por 25 minutos, divide en platos y sirve.

**Nutrición:**calorías 76, grasas 2,1, fibra 1,7, carbohidratos 6,4, proteínas 8,3

# pollo con naranja

**Tiempo de preparación: 10 minutos**
**Tiempo de cocción: 35 minutos**
**Porciones: 4**

**Ingredientes:**

- 1 cucharada de aceite de aguacate
- 1 libra de pechuga de pollo, sin piel, deshuesada y cortada por la mitad
- 2 dientes de ajo, picados
- 2 chalotes, picados
- ½ taza de jugo de naranja
- 1 cucharada de ralladura de naranja
- 3 cucharadas de vinagre balsámico
- 1 cucharadita de romero picado

**Direcciones:**

1. Calienta una sartén con aceite a fuego medio-alto, agrega las chalotas y el ajo, mezcla y fríe por 2 minutos.
2. Agrega la carne, mezcla suavemente y cocina por otros 3 minutos.
3. Agrega el resto de los ingredientes, mezcla, coloca el molde en el horno y hornea a 340°C por 30 minutos.
4. Dividir en platos y servir.

**Nutrición:**calorías 159, grasas 3,4, fibra 0,5, carbohidratos 5,4, proteínas 24,6

# Pavo Al Ajillo Y Champiñones

**Tiempo de preparación: 10 minutos**
**Tiempo de cocción: 40 minutos**
**Porciones: 4**

**Ingredientes:**

- 1 pechuga de pavo deshuesada, sin piel y cortada en cubitos
- ½ libra de champiñones blancos, cortados por la mitad
- 1/3 taza de aminoácidos de coco
- 2 dientes de ajo, picados
- 2 cucharadas de aceite de oliva
- Una pizca de pimienta negra
- 2 cebollas verdes, picadas
- 3 cucharadas de salsa de ajo
- 1 cucharada de romero picado

**Direcciones:**

1. Calienta una sartén con aceite a fuego medio, agrega las cebolletas, la salsa de ajo y el ajo y sofríe por 5 minutos.
2. Agrega la carne y dórala por otros 5 minutos.
3. Agrega el resto de los ingredientes, coloca en el horno y hornea a 390 grados por 30 minutos.
4. Divida la mezcla en platos y sirva.

**Nutrición:**calorías 154, grasas 8,1, fibra 1,5, carbohidratos 11,5, proteínas 9,8

# Pollo y Aceitunas

**Tiempo de preparación: 10 minutos**
**Tiempo de cocción: 25 minutos**
**Porciones: 4**

**Ingredientes:**

- 1 libra de pechugas de pollo, sin piel, deshuesadas y cortadas en cubos grandes
- Una pizca de pimienta negra
- 1 cucharada de aceite de aguacate
- 1 cebolla morada, picada
- 1 taza de leche de coco
- 1 cucharada de jugo de limón
- 1 taza de aceitunas kalamata, sin hueso y en rodajas
- ¼ de taza de cilantro, picado

**Direcciones:**

1. Calienta una sartén con aceite a fuego medio-alto, agrega la cebolla y la carne y dora por 5 minutos.
2. Agrega el resto de los ingredientes, mezcla, lleva a ebullición y cocina a fuego medio por otros 20 minutos.
3. Dividir en platos y servir.

**Nutrición:**calorías 409, grasas 26,8, fibra 3,2, carbohidratos 8,3, proteínas 34,9

# Mezcla balsámica de pavo y duraznos

**Tiempo de preparación: 10 minutos**
**Tiempo de cocción: 25 minutos**
**Porciones: 4**

**Ingredientes:**

- 1 cucharada de aceite de aguacate
- 1 pechuga de pavo, sin piel, deshuesada y en rodajas
- Una pizca de pimienta negra
- 1 cebolla amarilla, picada
- 4 duraznos, deshuesados y cortados en gajos
- ¼ de taza de vinagre balsámico
- 2 cucharadas de cebollino picado

**Direcciones:**

1. Calienta una sartén con aceite a fuego medio-alto, agrega la carne y la cebolla, mezcla y dora por 5 minutos.
2. Agrega el resto de los ingredientes excepto el cebollino, mezcla suavemente y hornea a 390 grados durante 20 minutos.
3. Divida todo en platos y sirva con cebollino espolvoreado por encima.

**Nutrición:**calorías 123, grasas 1,6, fibra 3,3, carbohidratos 18,8, proteínas 9,1

# Pollo al coco y espinacas

**Tiempo de preparación: 10 minutos**
**Tiempo de cocción: 25 minutos**
**Porciones: 4**

**Ingredientes:**

- 1 cucharada de aceite de aguacate
- 1 libra de pechuga de pollo, sin piel, deshuesada y en cubos
- ½ cucharadita de albahaca seca
- Una pizca de pimienta negra
- ¼ de taza de caldo de verduras bajo en sodio
- 2 tazas de espinacas tiernas
- 2 chalotes, picados
- 2 dientes de ajo, picados
- ½ cucharadita de pimentón dulce
- 2/3 taza de crema de coco
- 2 cucharadas de cilantro picado

**Direcciones:**

1. Calienta una sartén con aceite a fuego medio-alto, agrega la carne, la albahaca, la pimienta negra y dora por 5 minutos.
2. Agrega las chalotas y el ajo y cocina por otros 5 minutos.
3. Agrega el resto de los ingredientes, mezcla, lleva a ebullición y cocina a fuego medio por otros 15 minutos.
4. Dividir en platos y servir caliente.

**Nutrición:**calorías 237, grasas 12,9, fibra 1,6, carbohidratos 4,7, proteínas 25,8

# Mix de pollo y espárragos

**Tiempo de preparación: 10 minutos**
**Tiempo de cocción: 25 minutos**
**Porciones: 4**

**Ingredientes:**

- 2 pechugas de pollo, sin piel, deshuesadas y cortadas en cubos
- 2 cucharadas de aceite de aguacate
- 2 cebolletas, picadas
- 1 manojo de espárragos, pelados y cortados por la mitad
- ½ cucharadita de pimentón dulce
- Una pizca de pimienta negra
- 14 onzas de tomates enlatados, sin sal agregada, escurridos y picados

**Direcciones:**

1. Calienta una sartén con aceite a fuego medio-alto, agrega la carne y las cebolletas, mezcla y cocina por 5 minutos.
2. Agrega los espárragos y los demás ingredientes, mezcla, tapa la sartén y cocina a fuego medio por 20 minutos.
3. Divida todo entre platos y sirva.

**Nutrición:**calorías 171, grasas 6,4, fibra 2,6, carbohidratos 6,4, proteínas 22,2

# Cremoso De Pavo Y Brócoli

**Tiempo de preparación: 10 minutos**
**Tiempo de cocción: 25 minutos**
**Porciones: 4**

**Ingredientes:**

- 1 cucharada de aceite de oliva
- 1 pechuga de pavo grande, sin piel, deshuesada y cortada en cubos
- 2 tazas de floretes de brócoli
- 2 chalotes, picados
- 2 dientes de ajo, picados
- 1 cucharada de albahaca picada
- 1 cucharada de cilantro picado
- ½ taza de crema de coco

**Direcciones:**

1. Calienta una sartén con aceite a fuego medio-alto, agrega la carne, las chalotas y el ajo, mezcla y dora por 5 minutos.
2. Agrega el brócoli y los demás ingredientes, mezcla todo, cocina por 20 minutos a fuego medio, divide en platos y sirve.

**Nutrición:**calorías 165, grasas 11,5, fibra 2,1, carbohidratos 7,9, proteínas 9,6

# Mix de judías verdes con pollo y eneldo

**Tiempo de preparación: 10 minutos**
**Tiempo de cocción: 25 minutos**
**Porciones: 4**

**Ingredientes:**

- 2 cucharadas de aceite de oliva
- 10 onzas de judías verdes, peladas y cortadas por la mitad
- 1 cebolla amarilla, picada
- 1 cucharada de eneldo, picado
- 2 pechugas de pollo, sin piel, deshuesadas y cortadas por la mitad
- 2 tazas de salsa de tomate, sin sal agregada
- ½ cucharadita de hojuelas de pimiento rojo, trituradas

**Direcciones:**

1. Calienta una sartén con aceite a fuego medio-alto, agrega la cebolla y la carne y dora por 2 minutos por cada lado.
2. Agrega las judías verdes y los demás ingredientes, mezcla, coloca en el horno y hornea a 380 grados por 20 minutos.
3. Dividir en platos y servir inmediatamente.

**Nutrición:**calorías 391, grasas 17,8, fibra 5, carbohidratos 14,8, proteínas 43,9

# Calabacines con pollo y guindilla

**Tiempo de preparación: 5 minutos**
**Tiempo de cocción: 25 minutos**
**Porciones: 4**

**Ingredientes:**

- 1 libra de pechugas de pollo, sin piel, deshuesadas y en cubos
- 1 taza de caldo de pollo bajo en sodio
- 2 calabacines, picados en cubos
- 1 cucharada de aceite de oliva
- 1 taza de tomates enlatados, sin sal agregada, picados
- 1 cebolla amarilla, picada
- 1 cucharadita de chile en polvo
- 1 cucharada de cilantro picado

**Direcciones:**

1. Calienta una sartén con aceite a fuego medio-alto, agrega la carne y la cebolla, mezcla y dora por 5 minutos.
2. Agrega los calabacines y el resto de ingredientes, mezcla suavemente, reduce el fuego a medio y cocina por 20 minutos.
3. Divida todo entre platos y sirva.

**Nutrición:**calorías 284, grasas 12,3, fibra 2,4, carbohidratos 8, proteínas 35

# Mezcla de aguacate y pollo

**Tiempo de preparación: 10 minutos**
**Tiempo de cocción: 20 minutos**
**Porciones: 4**

**Ingredientes:**

- 2 pechugas de pollo, sin piel, deshuesadas y cortadas por la mitad
- Jugo de ½ limón
- 2 cucharadas de aceite de oliva
- 2 dientes de ajo, picados
- ½ taza de caldo de verduras bajo en sodio
- 1 aguacate, pelado, sin hueso y cortado en gajos
- Una pizca de pimienta negra

**Direcciones:**

1. Calienta una sartén con aceite a fuego medio, agrega el ajo y la carne y dora por 2 minutos por cada lado.
2. Agrega el jugo de limón y los demás ingredientes, lleva a ebullición y cocina a fuego medio durante 15 minutos.
3. Divida toda la mezcla entre platos y sirva.

**Nutrición:**calorías 436, grasas 27,3, fibra 3,6, carbohidratos 5,6, proteínas 41,8

# Türkiye y Bok Choy

**Tiempo de preparación: 10 minutos**
**Tiempo de cocción: 20 minutos**
**Porciones: 4**

**Ingredientes:**

- 1 pechuga de pavo, deshuesada, sin piel y en cubos
- 2 chalotes, picados
- 1 libra de bok choy, partido en pedazos
- 2 cucharadas de aceite de oliva
- ½ cucharadita de jengibre rallado
- Una pizca de pimienta negra
- ½ taza de caldo de verduras bajo en sodio

**Direcciones:**

1. Calienta una sartén con aceite a fuego medio-alto, agrega las chalotas y el jengibre y sofríe durante 2 minutos.
2. Agrega la carne y dora por otros 5 minutos.
3. Agrega el resto de los ingredientes, mezcla, cocina a fuego lento por otros 13 minutos, divide en platos y sirve.

**Nutrición:**calorías 125, grasas 8, fibra 1,7, carbohidratos 5,5, proteínas 9,3

# Mezcla de pollo con cebolla morada

**Tiempo de preparación: 10 minutos**
**Tiempo de cocción: 25 minutos**
**Porciones: 4**

**Ingredientes:**

- 2 pechugas de pollo, sin piel, deshuesadas y cortadas en cubitos
- 3 cebollas rojas, en rodajas
- 2 cucharadas de aceite de oliva
- 1 taza de caldo de verduras bajo en sodio
- Una pizca de pimienta negra
- 1 cucharada de cilantro picado
- 1 cucharada de cebollino picado

**Direcciones:**

1. Calienta una sartén con aceite a fuego medio, agrega la cebolla y una pizca de pimienta negra y sofríe durante 10 minutos, revolviendo con frecuencia.
2. Agrega el pollo y cocina por otros 3 minutos.
3. Agrega el resto de los ingredientes, lleva a ebullición y cocina a fuego medio por otros 12 minutos.
4. Divida la mezcla de pollo y cebolla entre los platos y sirva.

**Nutrición**: calorías 364, grasas 17,5, fibra 2,1, carbohidratos 8,8, proteínas 41,7

# Pavo caliente y arroz

**Tiempo de preparación: 10 minutos**
**Tiempo de cocción: 42 minutos**
**Porciones: 4**

**Ingredientes:**

- 1 pechuga de pavo, sin piel, deshuesada y cortada en cubitos
- 1 taza de arroz blanco
- 2 tazas de caldo de verduras bajo en sodio
- 1 cucharadita de pimentón picante
- 2 chiles serranos pequeños, picados
- 2 dientes de ajo, picados
- 2 cucharadas de aceite de oliva
- ½ pimiento rojo picado
- Una pizca de pimienta negra

**Direcciones:**

1. Calienta un sartén con aceite a fuego medio, agrega los chiles serranos y el ajo y sofríe por 2 minutos.
2. Añade la carne y dórala durante 5 minutos.
3. Agrega el arroz y los demás ingredientes, lleva a ebullición y cocina a fuego medio durante 35 minutos.
4. Mezclar, dividir en platos y servir.

**Nutrición**: calorías 271, grasas 7,7, fibra 1,7, carbohidratos 42, proteínas 7,8

# Puerro y pollo al limón

**Tiempo de preparación: 10 minutos**
**Tiempo de cocción: 40 minutos**
**Porciones: 4**

**Ingredientes:**

- 1 libra de pechuga de pollo, sin piel, deshuesada y en cubos
- Una pizca de pimienta negra
- 2 cucharadas de aceite de aguacate
- 1 cucharada de salsa de tomate, sin sal añadida
- 1 taza de caldo de verduras bajo en sodio
- 4 puerros, picados en trozos grandes
- ½ taza de jugo de limón

**Direcciones:**

1. Calienta una sartén con aceite a fuego medio, agrega los puerros, mezcla y fríe por 10 minutos.
2. Agrega el pollo y los demás ingredientes, mezcla, cocina a fuego medio por otros 20 minutos, divide en platos y sirve.

**Nutrición**: calorías 199, grasas 13,3, fibra 5, carbohidratos 7,6, proteínas 17,4

# Pavo con mezcla de col rizada

**Tiempo de preparación: 10 minutos**
**Tiempo de cocción: 35 minutos**
**Porciones: 4**

**Ingredientes:**

- 1 pechuga de pavo grande, sin piel, deshuesada y cortada en cubos
- 1 taza de caldo de pollo bajo en sodio
- 1 cucharada de aceite de coco, derretido
- 1 repollo, picado
- 1 cucharadita de chile en polvo
- 1 cucharadita de pimentón dulce
- 1 diente de ajo, picado
- 1 cebolla amarilla, picada
- Una pizca de sal y pimienta negra

**Direcciones:**

1. Calienta una sartén con aceite a fuego medio, agrega la carne y dora por 5 minutos.
2. Agrega el ajo y la cebolla, mezcla y sofríe por otros 5 minutos.
3. Agrega el repollo y los demás ingredientes, mezcla, lleva a ebullición y cocina a fuego medio durante 25 minutos.
4. Divida todo entre platos y sirva.

**Nutrición:**calorías 299, grasas 14,5, fibra 5, carbohidratos 8,8, proteínas 12,6

# Pollo con chalotas al pimentón

**Tiempo de preparación: 10 minutos**
**Tiempo de cocción: 30 minutos**
**Porciones: 4**

**Ingredientes:**

- 1 libra de pechuga de pollo, sin piel, deshuesada y en rodajas
- 4 chalotes, picados
- 1 cucharada de aceite de oliva
- 1 cucharada de pimentón dulce
- 1 taza de caldo de pollo bajo en sodio
- 1 cucharada de jengibre rallado
- 1 cucharadita de orégano seco
- 1 cucharadita de comino molido
- 1 cucharadita de pimienta de Jamaica, molida
- ½ taza de cilantro picado
- Una pizca de pimienta negra

**Direcciones:**

1. Calienta una sartén con aceite a fuego medio, agrega la chalota y la carne y dora por 5 minutos.
2. Agrega el resto de los ingredientes, mezcla, coloca en el horno y hornea a 390 grados por 25 minutos.
3. Divida la mezcla de pollo y chalota entre los platos y sirva.

**Nutrición:**calorías 295, grasas 12,5, fibra 6,9, carbohidratos 22,4, proteínas 15,6

# Salsa De Pollo Y Mostaza

**Tiempo de preparación: 10 minutos**
**Tiempo de cocción: 35 minutos**
**Porciones: 4**

**Ingredientes:**

- 1 libra de muslos de pollo, deshuesados y sin piel
- 1 cucharada de aceite de aguacate
- 2 cucharadas de mostaza
- 1 chalota, picada
- 1 taza de caldo de pollo bajo en sodio
- Una pizca de sal y pimienta negra
- 3 dientes de ajo, picados
- ½ cucharadita de albahaca seca

**Direcciones:**

1. Calienta una sartén con aceite a fuego medio, agrega la chalota, el ajo y el pollo y dora todo durante 5 minutos.
2. Agrega la mostaza y el resto de los ingredientes, mezcla suavemente, lleva a ebullición y cocina a fuego medio durante 30 minutos.
3. Divida todo en platos y sirva caliente.

**Nutrición:**calorías 299, grasas 15,5, fibra 6,6, carbohidratos 30,3, proteínas 12,5

# Mezcla de pollo y apio

**Tiempo de preparación: 10 minutos**
**Tiempo de cocción: 35 minutos**
**Porciones: 4**

**Ingredientes:**

- Una pizca de pimienta negra
- 2 libras de pechuga de pollo, sin piel, deshuesada y en cubos
- 2 cucharadas de aceite de oliva
- 1 taza de apio, picado
- 3 dientes de ajo, picados
- 1 chile poblano, picado
- 1 taza de caldo de verduras bajo en sodio
- 1 cucharadita de chile en polvo
- 2 cucharadas de cebollino picado

**Direcciones:**

1. Calienta un sartén con aceite a fuego medio, agrega el ajo, el apio y el chile poblano, mezcla y cocina por 5 minutos.
2. Agrega la carne, mezcla y cocina por otros 5 minutos.
3. Agrega el resto de los ingredientes excepto el cebollino, lleva a ebullición y cocina a fuego medio por otros 25 minutos.
4. Divida toda la mezcla entre los platos y sirva con el cebollino espolvoreado.

**Nutrición:**calorías 305, grasas 18, fibra 13,4, carbohidratos 22,5, proteínas 6

# Pavo a la lima con patatas nuevas

**Tiempo de preparación: 10 minutos**
**Tiempo de cocción: 40 minutos**
**Porciones: 4**

**Ingredientes:**

- 1 pechuga de pavo, sin piel, deshuesada y en rodajas
- 2 cucharadas de aceite de oliva
- 1 libra de papas nuevas, peladas y cortadas por la mitad
- 1 cucharada de pimentón dulce
- 1 cebolla amarilla, picada
- 1 cucharadita de chile en polvo
- 1 cucharadita de romero seco
- 2 tazas de caldo de pollo bajo en sodio
- Una pizca de pimienta negra
- La ralladura de 1 lima, rallada
- 1 cucharada de jugo de lima
- 1 cucharada de cilantro picado

**Direcciones:**

1. Calienta una sartén con aceite a fuego medio, agrega la cebolla, el chile en polvo y el romero, mezcla y fríe por 5 minutos.
2. Agrega la carne y dora por otros 5 minutos.
3. Agrega las patatas y el resto de los ingredientes excepto el cilantro, mezcla suavemente, lleva a ebullición y cocina a fuego medio durante 30 minutos.
4. Divida la mezcla en platos y sirva con cilantro espolvoreado por encima.

**Nutrición:**calorías 345, grasas 22,2, fibra 12,3, carbohidratos 34,5, proteínas 16,4

# Pollo Con Mostaza

**Tiempo de preparación: 10 minutos**
**Tiempo de cocción: 25 minutos**
**Porciones: 4**

**Ingredientes:**

- 2 pechugas de pollo, sin piel, deshuesadas y cortadas en cubos
- 3 tazas de mostaza
- 1 taza de tomates enlatados, sin sal agregada, picados
- 1 cebolla morada, picada
- 2 cucharadas de aceite de aguacate
- 1 cucharadita de orégano seco
- 2 dientes de ajo, picados
- 1 cucharada de cebollino picado
- 1 cucharada de vinagre balsámico
- Una pizca de pimienta negra

**Direcciones:**

1. Calienta una sartén con aceite a fuego medio-alto, agrega la cebolla y el ajo y sofríe durante 5 minutos.
2. Agrega la carne y dórala por otros 5 minutos.
3. Agrega las verduras, los tomates y los demás ingredientes, mezcla, cocina por 20 minutos a fuego medio, divide en platos y sirve.

**Nutrición:**calorías 290, grasas 12,3, fibra 6,7, carbohidratos 22,30, proteínas 14,3

# Pollo al horno y manzanas

**Tiempo de preparación: 10 minutos**
**Tiempo de cocción: 50 minutos**
**Porciones: 4**

**Ingredientes:**

- 2 libras de muslos de pollo, deshuesados y sin piel
- 2 cucharadas de aceite de oliva
- 2 cebollas moradas, rebanadas
- Una pizca de pimienta negra
- 1 cucharadita de tomillo, seco
- 1 cucharadita de albahaca, seca
- 1 taza de manzanas verdes, sin corazón y cortadas en cubitos
- 2 dientes de ajo, picados
- 2 tazas de caldo de pollo bajo en sodio
- 1 cucharada de jugo de limón
- 1 taza de tomates, cortados en cubitos
- 1 cucharada de cilantro picado

**Direcciones:**

1. Calienta una sartén con aceite a fuego medio-alto, agrega la cebolla y el ajo y sofríe durante 5 minutos.
2. Agrega el pollo y saltea por otros 5 minutos.
3. Agrega el tomillo, la albahaca y los demás ingredientes, mezcla suavemente, coloca en el horno y hornea a 390 grados durante 40 minutos.
4. Divida la mezcla de pollo y manzana entre los platos y sirva.

**Nutrición:**calorías 290, grasas 12,3, fibra 4, carbohidratos 15,7, proteínas 10

# Pollo Chipotle

**Tiempo de preparación: 10 minutos**
**Tiempo de cocción: 1 hora**
**Porciones: 6**

**Ingredientes:**

- 2 libras de muslos de pollo, deshuesados y sin piel
- 1 cebolla amarilla, picada
- 2 cucharadas de aceite de oliva
- 3 dientes de ajo, picados
- 1 cucharada de semillas de cilantro, molidas
- 1 cucharadita de comino molido
- 1 taza de caldo de pollo bajo en sodio
- 4 cucharadas de pasta de chile chipotle
- Una pizca de pimienta negra
- 1 cucharada de cilantro picado

**Direcciones:**

1. Calienta una sartén con aceite a fuego medio, agrega la cebolla y el ajo y sofríe por 5 minutos.
2. Agrega la carne y dora por otros 5 minutos.
3. Agrega el resto de los ingredientes, mezcla, coloca todo en el horno y hornea a 390 grados por 50 minutos.
4. Divida toda la mezcla entre platos y sirva.

**Nutrición:**calorías 280, grasas 12,1, fibra 6,3, carbohidratos 15,7, proteínas 12

# pavo con hierbas

**Tiempo de preparación: 10 minutos**
**Tiempo de cocción: 35 minutos**
**Porciones: 4**

**Ingredientes:**

- 1 pechuga de pavo grande, deshuesada, sin piel y en rodajas
- 1 cucharada de cebollino picado
- 1 cucharada de orégano, picado
- 1 cucharada de albahaca picada
- 1 cucharada de cilantro picado
- 2 chalotes, picados
- 2 cucharadas de aceite de oliva
- 1 taza de caldo de pollo bajo en sodio
- 1 taza de tomates, cortados en cubitos
- Sal y pimienta negra al gusto

**Direcciones:**

1. Calienta una sartén con aceite a fuego medio, agrega la chalota y la carne y dora por 5 minutos.
2. Agrega el cebollino y el resto de ingredientes, mezcla, lleva a ebullición y cocina a fuego medio durante 30 minutos.
3. Divida la mezcla en platos y sirva.

**Nutrición:**calorías 290, grasas 11,9, fibra 5,5, carbohidratos 16,2, proteínas 9

# Salsa de pollo y jengibre

**Tiempo de preparación: 10 minutos**
**Tiempo de cocción: 35 minutos**
**Porciones: 4**

**Ingredientes:**

- 1 libra de pechuga de pollo, sin piel, deshuesada y en cubos
- 1 cucharada de jengibre rallado
- 1 cucharada de aceite de oliva
- 2 chalotes, picados
- 1 cucharada de vinagre balsámico
- Una pizca de pimienta negra
- ¾ taza de caldo de pollo bajo en sodio
- 1 cucharada de albahaca picada

**Direcciones:**

1. Calienta una sartén con aceite a fuego medio, agrega la chalota y el jengibre, mezcla y fríe por 5 minutos.
2. Agrega el resto de los ingredientes excepto el pollo, mezcla, lleva a ebullición y cocina por 5 minutos más.
3. Agregue el pollo, mezcle, cocine a fuego lento toda la mezcla durante 25 minutos, divida en platos y sirva.

**Nutrición:**calorías 294, grasas 15,5, fibra 3, carbohidratos 15,4, proteínas 13,1

# Pollo y Maíz

**Tiempo de preparación: 10 minutos**
**Tiempo de cocción: 35 minutos**
**Porciones: 4**

**Ingredientes:**

- 2 libras de pechuga de pollo, sin piel, deshuesada y cortada por la mitad
- 2 tazas de maíz
- 2 cucharadas de aceite de aguacate
- Una pizca de pimienta negra
- 1 cucharadita de pimentón ahumado
- 1 manojo de cebollas verdes, picadas
- 1 taza de caldo de pollo bajo en sodio

**Direcciones:**

1. Calienta una sartén con aceite a fuego medio-alto, agrega las cebolletas, revuelve y saltea por 5 minutos.
2. Agrega el pollo y dora por otros 5 minutos.
3. Agrega el maíz y los demás ingredientes, mezcla, coloca el molde en el horno y cocina a 390 grados por 25 minutos.
4. Divida la mezcla en platos y sirva.

**Nutrición:**calorías 270, grasas 12,4, fibra 5,2, carbohidratos 12, proteínas 9

# Curry Türkiye y Quinua

**Tiempo de preparación: 10 minutos**
**Tiempo de cocción: 40 minutos**
**Porciones: 4**

**Ingredientes:**

- 1 libra de pechuga de pavo, sin piel, deshuesada y en cubos
- 1 cucharada de aceite de oliva
- 1 taza de quinua
- 2 tazas de caldo de pollo bajo en sodio
- 1 cucharada de jugo de lima
- 1 cucharada de perejil picado
- Una pizca de pimienta negra
- 1 cucharada de pasta de curry rojo

**Direcciones:**

1. Calienta una sartén con aceite a fuego medio-alto, agrega la carne y dora por 5 minutos.
2. Agrega la quinoa y el resto de los ingredientes, mezcla, lleva a ebullición y cocina a fuego medio durante 35 minutos.
3. Divida todo entre platos y sirva.

**Nutrición:**calorías 310, grasas 8,5, fibra 11, carbohidratos 30,4, proteínas 16,3

# Chirivía de pavo y comino

**Tiempo de preparación: 10 minutos**
**Tiempo de cocción: 40 minutos**
**Porciones: 4**

**Ingredientes:**

- 1 libra de pechuga de pavo, sin piel, deshuesada y en cubos
- 2 chirivías, peladas y cortadas en cubos
- 2 cucharaditas de comino molido
- 1 cucharada de perejil picado
- 2 cucharadas de aceite de aguacate
- 2 chalotes, picados
- 1 taza de caldo de pollo bajo en sodio
- 4 dientes de ajo, picados
- Una pizca de pimienta negra

**Direcciones:**

1. Calienta una sartén con aceite a fuego medio, agrega la chalota y el ajo y sofríe durante 5 minutos.
2. Agrega el pavo, revuelve y cocina por otros 5 minutos.
3. Agrega la chirivía y los demás ingredientes, mezcla, cocina a fuego medio por otros 30 minutos, divide en platos y sirve.

**Nutrición:**calorías 284, grasas 18,2, fibra 4, carbohidratos 16,7, proteínas 12,3

# Garbanzos, Pavo y Cilantro

**Tiempo de preparación: 10 minutos**
**Tiempo de cocción: 40 minutos**
**Porciones: 4**

**Ingredientes:**

- 1 taza de garbanzos enlatados, sin sal agregada, escurridos
- 1 taza de caldo de pollo bajo en sodio
- 1 libra de pechuga de pavo, sin piel, deshuesada y en cubos
- Una pizca de pimienta negra
- 1 cucharadita de orégano seco
- 1 cucharadita de nuez moscada, molida
- 2 cucharadas de aceite de oliva
- 1 cebolla amarilla, picada
- 1 pimiento verde, picado
- 1 taza de cilantro, picado

**Direcciones:**

1. Calienta una sartén con aceite a fuego medio, agrega la cebolla, el pimiento y la carne y cocina por 10 minutos, revolviendo con frecuencia.
2. Agrega el resto de los ingredientes, mezcla, lleva a ebullición y cocina a fuego medio durante 30 minutos.
3. Divida la mezcla en platos y sirva.

**Nutrición:**calorías 304, grasas 11,2, fibra 4,5, carbohidratos 22,2, proteínas 17

# Curry De Pavo Y Lentejas

**Tiempo de preparación: 10 minutos**
**Tiempo de cocción: 40 minutos**
**Porciones: 4**

**Ingredientes:**

- 2 libras de pechuga de pavo, sin piel, deshuesada y en cubos
- 1 taza de lentejas enlatadas, sin sal agregada, escurridas y enjuagadas
- 1 cucharada de pasta de curry verde
- 1 cucharadita de garam masala
- 2 cucharadas de aceite de oliva
- 1 cebolla amarilla, picada
- 1 diente de ajo, picado
- Una pizca de pimienta negra
- 1 cucharada de cilantro picado

**Direcciones:**

1. Calienta una sartén con aceite a fuego medio, agrega la cebolla, el ajo y la carne y dora por 5 minutos, revolviendo con frecuencia.
2. Agrega las lentejas y el resto de ingredientes, lleva a ebullición y cocina a fuego medio durante 35 minutos.
3. Divida la mezcla en platos y sirva.

**Nutrición:**calorías 489, grasas 12,1, fibra 16,4, carbohidratos 42,4, proteínas 51,5

# Pavo con frijoles y aceitunas

**Tiempo de preparación: 10 minutos**
**Tiempo de cocción: 35 minutos**
**Porciones: 4**

**Ingredientes:**

- 1 taza de frijoles negros, sin sal y escurridos
- 1 taza de aceitunas verdes, deshuesadas y partidas por la mitad
- 1 libra de pechuga de pavo, sin piel, deshuesada y en rodajas
- 1 cucharada de cilantro picado
- 1 taza de salsa de tomate, sin sal agregada
- 1 cucharada de aceite de oliva

**Direcciones:**

1. Engrasa una bandeja para horno con aceite, coloca las rebanadas de pavo en su interior, agrega los demás ingredientes, coloca en el horno y hornea a 380°C por 35 minutos.
2. Dividir en platos y servir.

**Nutrición:**calorías 331, grasas 6,4, fibra 9, carbohidratos 38,5, proteínas 30,7

# Quinoa con pollo y tomate

**Tiempo de preparación: 10 minutos**
**Tiempo de cocción: 35 minutos**
**Porciones: 8**

**Ingredientes:**

- 1 cucharada de aceite de oliva
- 2 libras de pechugas de pollo, sin piel, deshuesadas y cortadas por la mitad
- 1 cucharadita de romero, molido
- Una pizca de sal y pimienta negra
- 2 chalotes, picados
- 1 cucharada de aceite de oliva
- 3 cucharadas de salsa de tomate baja en sodio
- 2 tazas de quinua, ya cocida

**Direcciones:**

1. Calienta una sartén con aceite a fuego medio-alto, agrega la carne y las chalotas y dora por 2 minutos por cada lado.
2. Agrega el romero y los demás ingredientes, mezcla, coloca en el horno y cocina a 370 grados por 30 minutos.
3. Divida la mezcla en platos y sirva.

**Nutrición:**calorías 406, grasas 14,5, fibra 3,1, carbohidratos 28,1, proteínas 39

# Alitas de pollo al pimiento

**Tiempo de preparación: 10 minutos**
**Tiempo de cocción: 20 minutos**
**Porciones: 4**

**Ingredientes:**

- 2 libras de alitas de pollo
- 2 cucharaditas de pimienta de Jamaica, molida
- 2 cucharadas de aceite de aguacate
- 5 dientes de ajo, picados
- Pimienta negra al gusto
- 2 cucharadas de cebollino picado

**Direcciones:**

1. En un bol, combine las alitas de pollo con la pimienta de Jamaica y los demás ingredientes y mezcle bien.
2. Coloque las alitas de pollo en una bandeja para hornear y hornee a 400 grados durante 20 minutos.
3. Divida las alitas de pollo en platos y sirva.

**Nutrición:**calorías 449, grasas 17,8, fibra 0,6, carbohidratos 2,4, proteínas 66,1

Milton Keynes UK
Ingram Content Group UK Ltd.
UKHW020915201123
432908UK00020B/2825